Valérie Garnaud-d'Ersu

Colette Bertot

Les bonnes herbes au balcon

80 plantes à choisir,
entretenir, multiplier

Dessins de Marie-Claude Eyraud

La Maison Rustique
Flammarion

Dans la même collection

La Campagne au balcon, Catherine Nuridsany

Plantes d'appartement, Valérie Garnaud-d'Ersu

Les Parfums du jardin, Catherine Nuridsany

N° d'édition : FX079501
ISBN : 2-7066-0795-5
Dépôt légal : février 2001

Sommaire

Introduction

Qu'elles soient appelées « bonnes herbes », plantes aromatiques ou médicinales, ces plantes ont en commun d'être utilisées depuis des siècles pour leurs propriétés intéressantes à titre culinaire, cosmétique, médicinal, insecticide...

Ce sont des végétaux très variés, des annuelles ou bisannuelles, des vivaces, des sous-arbrisseaux et même des arbustes comme le laurier, dont on utilise selon les cas les feuilles, fleurs, jeunes pousses ou même racines.

La plupart sont faciles à cultiver sur un balcon, une terrasse ou dans une petite cour. Il vous suffit de quelques pots ou jardinières pour composer un petit jardin d'aromates indispensables à la cuisine. De grands bacs ou massifs surélevés permettent d'accueillir une plus grande diversité de plantes, de composer de véritables associations aussi décoratives que précieuses pour la cuisine et la maison.

Ces bonnes herbes se contentent d'un entretien minimum pour prospérer, mais certaines, originaires des pays chauds, demandent à être rentrées pour l'hiver sous serre ou véranda (ou renouvelées chaque année !).

Alliant bien souvent qualités décoratives et aromatiques, les plantes présentées ici sont surtout abordées d'un point de vue culinaire (tisanes, aromates...) ou pratique pour la maison (pot-pourri, sachets insecticides...). Les utilisations proprement médicinales exigent beaucoup de rigueur, des connaissances précises et bien souvent les conseils de personnes qualifiées, aussi ne sont-elles que succinctement mentionnées.

La culture des plantes aromatiques et médicinales

Où, quand, comment les acheter ?

Avant l'achat

Plutôt que d'acheter les plantes aromatiques sur un coup de cœur dans une jardinerie, commencez par dresser la liste de celles que vous souhaitez cultiver. Établissez cette liste en fonction de vos goûts certes, mais aussi de l'emplacement où vous comptez placer les pots, installer les bacs et jardinières. Ainsi les herbes méditerranéennes, comme le romarin ou le thym, ne se plairont pas dans un bac placé dans une petite cour ombragée, tandis que vous aurez bien du mal à obtenir du persil ou de la menthe sur un appui de fenêtre orienté plein sud.

Le bon choix

➤ **À retenir**

- les plantes proposées avec une étiquette informative récapitulant leurs principales exigences,
- les feuillages sains, fournis, bien colorés,
- un bon rapport entre volume du pot et volume des parties aériennes de la plante,
- une bonne stabilité des arbustes,
- pour les grandes plantes, des tiges équilibrées, bien réparties en une silhouette d'ensemble harmonieuse,
- un terreau propre en surface, légèrement humide au toucher mais sans excès.

➤ **À proscrire**

- les feuilles jaunies ou pendantes, les tiges dégarnies ou les pousses sèches,
- les plantes montrant des signes d'attaque de maladies ou parasites,
- les plantes à l'étroit dans leur pot, parfois en équilibre instable, aux racines sortant « en chignon » par les trous de drainage,
- les silhouettes déséquilibrées,
- les pots montrant un terreau desséché, rétracté sur les bords, ou au contraire détrempé, avec mousses ou algues en surface,
- le dernier représentant d'un lot d'une même espèce ou variété, signe bien souvent que la plante est là depuis longtemps et risque d'être le moins beau spécimen.

Où les acheter ?

Vous trouverez au printemps les plantes aromatiques les plus courantes vendues en pot dans les hypermarchés ou grandes surfaces de bricolage, mais préférez en règle générale faire vos achats dans une jardinerie bien achalandée, qui vous offrira plus de diversité, des variétés originales... Pensez aussi aux marchés qui proposent au printemps de beaux plants peu coûteux, par exemple de basilic, estragon, ciboulette...

Les herbes annuelles et bisannuelles, ainsi qu'un certain nombre de vivaces, sont faciles à obtenir de semis, solution généralement la plus simple et la moins onéreuse pour les annuelles. Achetez ou commandez vos graines en jardinerie ou chez un marchand grainier. Si vous achetez sur catalogue, veillez à passer commande suffisamment tôt pour être assuré d'être livré avant la période souhaitée pour les semis !

Lesquelles semer ?

Aneth, arroche, basilic (pour en obtenir une assez grande quantité), bourrache, capucine, carvi, cerfeuil, cerfeuil musqué, ciboule, ciboulette, coriandre, cresson alénois, fenouil, fenugrec, ficoïde glaciale, marjolaine, mélisse, nigelle, persil, pimprenelle, pissenlit, pourpier, roquette, sarriette, sauge sclarée, tanaisie, verveine officinale…

Sous quelle forme les acheter ?

Les herbes peuvent être achetées sous forme de graines, de jeunes plants, de touffes bien développées, voire d'arbustes. Faites votre choix selon le type de plante recherchée, mais aussi selon le nombre de sujets voulus, la rapidité de production désirée…

Si vous ne disposez que d'un ou deux appuis de fenêtre, d'un tout petit balcon, inutile de vous lancer dans des semis qui vous donneront quantité de jeunes plants. Préférez acheter, par exemple, un beau plant de basilic que vous pourrez commencer à récolter très rapidement.

Si vous disposez de plus de surface, terrasse, cour ou petit jardin, envisagez le semis, à la fois pour faire des économies et récolter en plus grande quantité.

Si vous recherchez un effet décoratif rapide, portez votre choix sur des sujets en pot ou conteneur déjà bien développés, des formes arbustives et de larges touffes, par exemple de sauge, romarin ou d'annuelles à croissance rapide comme la capucine ou la bourrache.

La plantation ou le semis

Quand les planter ou les semer ?

Le printemps est bien sûr la saison de prédilection pour les semis et plantations des bonnes herbes, comme pour de nombreuses autres plantes.

Attendez pour les semis en place, en jardinière ou dans un petit massif surélevé que les derniers grands froids soient passés.

Commencez les semis dans la maison, en godets ou terrine, dès la fin d'hiver, dès février pour les herbes comme le basilic.

Pour les plantations de vivaces ou d'arbustes, plantez et composez bacs et jardinières au printemps ou bien en début d'automne. Les vivaces et arbustes vendus en conteneur peuvent, surtout si vous les laissez dans le pot d'achat, être mis en place en toute saison, pourvu qu'il ne gèle pas ou qu'il ne fasse pas trop chaud. Pour composer des associations en bac ou jardinière, préférez cependant printemps ou automne pour une bonne reprise.

Les semis à renouveler

Pour certaines plantes aromatiques dont on consomme les jeunes feuilles, il est bon de semer en petite quantité mais à 2 ou 3 reprises dans la saison, pour disposer pendant plusieurs mois de pousses fraîches à couper. C'est le cas du cerfeuil, de la coriandre, du cresson, de la roquette…

Le choix de l'exposition

Pour réussir votre jardin d'herbes au balcon ou sur la terrasse, comme au jardin d'ailleurs, il est indispensable de tenir compte des exigences individuelles des plantes en matière d'exposition et de sol. N'envisagez pas d'associer dans une même jardinière plantes d'ombre et de soleil, puis de placer le tout sous une ombre légère, le résultat serait décevant.

Choisissez des plantes ayant des exigences similaires et offrez-leur l'exposition correspondante.

Plantes aromatiques pour situation ensoleillée

Aneth, bourrache, carvi, coriandre, cumin, fenouil, hysope, laurier, lavande, origan, romarin, sarriette, sauge, souci, thym, verveine-citronnelle.

Plantes aromatiques pour situation fraîche à mi-ombre

Cerfeuil, ciboulette, consoude, estragon, fraisier des bois, livèche, mélisse, menthe, monarde, persil, petite pimprenelle, pulmonaire, oseille.

Les pots et contenants

Vous pouvez utiliser pour la culture des herbes toutes sortes de pots, jardinières, bacs et contenants pourvu qu'ils soient munis de trous de drainage, assurant l'écoulement de l'eau de pluie ou d'arrosage en excès.

Si vous « recyclez » des contenants étanches de type bassine en zinc, baquet en bois ou autres, prenez soin d'y percer quelques trous de drainage avant de les remplir de terre.

Pour les contenants ajourés comme les vanneries ou paniers suspendus en grillage métallique, il faut au contraire combler les trous pour éviter que le mélange terreux ne s'écoule avec l'eau d'arrosage. Tapissez l'intérieur des vanneries d'un film plastique percé de quelques trous au fond pour le drainage. Doublez les paniers suspendus de mousse de sphaigne, pour l'aspect décoratif, puis de plastique perforé à intervalles réguliers, ou bien de feutre de jardin qui retient la terre tout en favorisant le drainage.

Au fond des grands bacs et jardinières percés de gros trous pour le drainage, ou bien pour masquer un orifice quelconque d'assez grande taille (au fond d'un abreuvoir, par exemple), posez également un feutre de jardin, directement sur le trou ou bien au-dessus de la couche de matériau de drainage, toujours pour empêcher que la terre ne s'écoule par les trous ou ne vienne les boucher.

Enfin, en règle générale, préférez les récipients en terre cuite, poreuse, pour les plantes qui demandent un sol bien drainé, plutôt que les pots en plastique, plus étanches. À l'inverse, les pots en plastique permettent de mieux retenir la fraîcheur pour les espèces qui préfèrent un peu plus d'humidité au niveau des racines.

La préparation des pots et bacs

Si le contenant est neuf, rincez-le simplement à l'eau claire pour éliminer tout résidu éventuel de produit chimique qui pourrait être toxique pour les plantes. Dans le cas de poteries en terre cuite, faites-les tremper 24 h dans l'eau pour que la terre cuite soit saturée en eau avant la plantation (sans quoi elle « pompe » l'eau du terreau).

Avant de réutiliser pots ou bacs de la saison précédente, nettoyez-les bien pour éliminer les traces d'algues, résidus terreux, parasites éventuels... Brossez-les avec une solution légèrement javellisée, rincez et laissez sécher.

Les mélanges terreux

Les herbes aromatiques et médicinales sont des plantes peu exigeantes. Si vous ne disposez que d'un appui de fenêtre ou d'un petit balcon, un sac de bon terreau de rempotage (optez pour une marque sérieuse plutôt que pour des promotions « bas de gamme ») vous permettra d'effectuer vos plantations et rempotages.

Si vous faites des semis dans la maison, prévoyez un terreau de semis, plus léger et drainant, favorable au développement des jeunes plants, ou bien allégez un terreau de rempotage ordinaire avec du sable de rivière (moitié-moitié).

Si vous avez la chance d'avoir un jardin, n'hésitez pas à utiliser de la bonne terre de jardin pour vos plantations ; elle conviendra parfaitement aux plantes (sauf cas particulier d'une terre acide ou très argileuse...). Elle renfermera sans doute quelques graines de mauvaises herbes, mais le petit inconvénient du désherbage sera largement compensé par sa richesse en éléments nutritifs, sa meilleure « tenue » que les mélanges à base de tourbe.

Pour les plantes méditerranéennes de soleil comme romarin, thym…, allégez cette terre en y ajoutant du sable grossier. Pour les plantes grasses comme aloès ou joubarbe, qui demandent un mélange de culture très drainant, utilisez un terreau pour cactées et plantes grasses ou préparez un mélange moitié sable-moitié bonne terre de jardin.

Pour les grands bacs ou jardinières intégrés sur les balcons, se pose le problème du poids de la terre, avec une charge maximale par mètre carré à ne pas dépasser. Préférez avoir recours aux terreaux de rempotage, plus légers, ou préparez un mélange de type 1/3 terre de jardin, 1/3 terreau de rempotage, 1/3 sable grossier ou vermiculite, ou moitié terre de jardin, 1/4 tourbe, 1/4 sable.

Stabilité

Sur un balcon ou une terrasse ventée, des pots remplis de terre de jardin, plus lourde que les terreaux du commerce riches en tourbe et écorces, offriront une meilleure stabilité aux plantes qui risquent d'être renversées par le vent.

Le semis

• ***Semis en place :*** très simple, le semis en place dans un pot, une coupe large ou une jardinière, convient à de nombreuses annuelles, celles en particulier qui supportent mal le repiquage comme aneth ou cerfeuil, ainsi qu'à quelques vivaces.

Ces semis sont généralement entrepris au printemps sur le balcon, quand la température de l'air comme du mélange terreux est assez douce. Vous pouvez prendre un peu d'avance en semant dans la maison un mois plus tôt, pour sortir les contenants quand le temps le permet. Quelques annuelles rustiques comme le souci peuvent même être semées dès l'automne, en protégeant les pots des fortes gelées durant l'hiver.

Remplissez pots ou jardinières de terreau assez léger, mais plus riche qu'un terreau de semis ordinaire puisque les plantes resteront toute la saison dans le même terreau. Un mélange 1/3 terre de jardin, 1/3 terreau de rempotage ordinaire, 1/3 sable grossier convient, par exemple, très bien.

Pour mieux répartir les graines très fines, versez-les d'abord dans un papier plié.

Émiettez le mélange en surface et égalisez bien. Semez les grosses graines une à une, les fines aussi clair que possible afin que les jeunes plants se gênent le moins possible à la levée. En règle générale, les graines demandent à être recouvertes d'une couche de sable ou de terreau léger d'une épaisseur équivalente au diamètre des graines. Certaines espèces ne doivent pas être recouvertes de terre pour germer. Consultez les conseils de semis figurant sur les sachets de graines.

Humidifiez bien les semis, avec un arrosoir à pomme fine ou un vaporisateur pour ne pas bousculer les graines, et veillez à maintenir le mélange légèrement humide jusqu'à la germination.

Après la levée des graines, éclaircissez autant que nécessaire, en plusieurs fois au besoin, pour que les plants conservés aient suffisamment d'espace pour bien se développer sans se gêner mutuellement.

À semer en place

Aneth, coriandre, cerfeuil, anis, pourpier, roquette, arroche, bourrache, bleuet, hysope, souci, pissenlit...

- ***Semis préalable :*** certaines plantes aromatiques comme le basilic demandent de la chaleur pour germer et gagnent à être semées au chaud dans la maison dès la fin de l'hiver pour une plantation en mai sur le balcon et une récolte tout l'été.

Le semis préalable est préférable également pour les bisannuelles comme la sauge sclarée, semée en été et plantée ensuite en automne à l'emplacement voulu.

Ce semis préalable à la plantation permet aussi de sélectionner les plus beaux plants, de décider du nombre à planter dans les bacs ou jardinières, de gagner du temps dans le cas d'un semis au chaud.

Procédez de la même façon que pour le semis direct, mais semez dans des terrines ou godets individuels remplis de terreau de semis. L'avantage des godets est d'individualiser les plants et donc de faciliter le repiquage ultérieur.

Après la levée, et selon la vigueur des plants, repiquez une ou deux fois en terrine ou godets avant la plantation en pot ou bac.

À semer en godets ou terrine

Basilic, capucine (ou en place), épiaire, sauge sclarée, fenouil.

L'endurcissement

Les plants obtenus par semis dans la maison ou la véranda en fin d'hiver-début de printemps demandent impérativement une acclimatation progressive aux conditions extérieures, même en milieu de printemps. De jeunes plants élevés en situation chaude et lumineuse et brutalement exposés aux nuits fraîches, à la pluie, au vent et aux premiers « coups » de soleil ont toutes chances de dépérir rapidement ! Sortez-les d'abord quelques heures par temps doux, un peu chaque jour, puis de plus en plus longtemps sur une dizaine de jours, après quoi ils seront prêts pour la sortie définitive.

La plantation proprement dite

Les modalités de plantation sont les mêmes, que le matériel végétal de départ soit des jeunes plants issus de semis, des vivaces vendues en godets ou des arbustes en conteneur.

La bonne taille pour le contenant

Sans aller jusqu'à installer un jeune plant malingre au milieu d'un pot ou bac de 40 cm de diamètre, choisissez des contenants assez volumineux pour accueillir la croissance des plantes jusqu'à la fin de la saison au moins. Si vous associez plusieurs plantes, une plantation un peu serrée permet de donner en quelques semaines une impression de plénitude, mais les touffes risquent de se gêner mutuellement ou, pour les plus vigoureuses, d'en étouffer d'autres dans le courant de l'été.

La plantation

- Commencez par la préparation du pot ou bac : assurez-vous qu'il est muni de trous de drainage, puis étalez au fond une couche de matériau de drainage, billes d'argile, gravillons ou tessons de pot, sur 3 cm pour un pot, 5 à 8 cm pour les bacs et grandes jardinières. Versez ensuite au fond du contenant une couche de mélange de culture de façon à amener la motte à planter à 2-3 cm sous le rebord du pot ou bac.
- Préparez la motte à planter, bien arrosée environ 1 h avant la plantation, à la fois pour faciliter son extraction du pot d'ori-

gine et pour favoriser la reprise des racines. Sortez la motte de son godet, pot ou conteneur en couchant celui-ci si nécessaire et en le tapotant contre une surface dure pour extraire la motte. Examinez ensuite la motte : supprimez mousses, algues ou mauvaises herbes pouvant pousser en surface, retaillez au besoin les racines trop longues, abîmées ou sèches.

- Positionnez la motte dans le pot ou bac, en la centrant correctement. Comblez de terre ou terreau sur les bords, en tassant du bout des doigts pour éliminer les poches d'air qui pourraient subsister en profondeur.
- Terminez par un bon arrosage et n'exposez pas aussitôt les plantes mises en pot au plein soleil. Accordez-leur quelques jours d'acclimatation à mi-ombre, en situation abritée.

Avant d'associer plusieurs plantes dans un bac,
faites des essais pour juger de l'effet obtenu.

Association de plusieurs plantes dans des bacs, jardinières...

La technique est la même, mais réfléchissez au préalable à la façon dont vous allez disposer les plantes. Faites des essais avec les différentes plantes encore en pot pour juger de l'effet esthétique obtenu, mais aussi de la place qu'elles vont occuper, de la façon dont elles peuvent s'intercaler.

L'indispensable panoplie du jardinier

Outre bien sûr les contenants et terreaux qui accueilleront plantes aromatiques et médicinales sur votre balcon ou terrasse, quelques outils sont indispensables pour réaliser plantation, entretien courant, récolte :

- l'arrosoir : vous ne pourrez vous en passer, même s'il peut être remplacé par une bouteille en plastique (moins jolie !) si vous n'avez que 2-3 pots à arroser.
- le transplantoir : c'est la petite pelle si pratique pour remplir les pots et jardinières de terreau, pour déplacer les mottes à planter.
- la griffe à fleurs : elle permet de griffer et d'aérer la terre en surface des bacs et jardinières, de gratter pour arracher les mauvaises herbes.
- le sécateur et les ciseaux : ils vous serviront à supprimer les pousses sèches, à récolter vos herbes, à tailler les arbustes, à supprimer les fleurs fanées…
- si vous comptez faire des semis vous-même, prévoyez aussi godets et terrines, voire mini-serre, bâtonnet (ou crayon) pour le repiquage, vaporisateur pour humidifier les jeunes semis et étiquettes pour mentionner date et nature des semis.

Commencez par planter les plus grands sujets, puis intercalez les plantes plus petites. Veillez à amener toutes les mottes au même niveau, puis comblez les vides avec de la terre ou du terreau.

L'entretien courant

L'arrosage

Il est bien sûr essentiel pour la réussite de la culture de vos plantes aromatiques, car même si les pots et bacs sont exposés aux pluies, les racines des plantes ne peuvent aller puiser l'eau en profondeur comme en pleine terre au jardin. Si les pots sont sous un rebord de toit ou un balcon supérieur, les arrosages devront être d'autant plus suivis.

Quelle eau utiliser ?

L'eau du robinet convient certes, mais l'eau de pluie est toujours préférable. Si vous le pouvez, envisagez l'installation d'un système de récupération à partir des gouttières ou descentes des eaux. Une bonne façon d'éviter le gaspillage !

À la belle saison, remplissez si possible vos arrosoirs à l'avance (mais ne les laissez pas en plein soleil), l'eau sera ainsi à bonne température.

Le bon rythme d'arrosage

Il est inutile, voire nuisible, d'arroser un peu chaque jour. Adaptez vos arrosages aux besoins des plantes et au rythme des saisons.

En règle générale, prévoyez 1 à 2 arrosages par semaine au printemps, 2 ou 3 arrosages par semaine en été lorsque le temps n'est pas trop chaud, des arrosages quotidiens, voire 2 fois par jour (plantes en plein soleil) en période de canicule. Réduisez les arrosages en fin d'été et début d'automne pour n'arroser que tous les 8-10 jours en automne et hiver.

Bien sûr, si les pots sont exposés à la pluie, inutile d'arroser après une bonne averse. Vérifiez cependant l'humidité du terreau en profondeur, car une petite averse ne suffit généralement pas à remplacer un arrosage. À l'inverse, en période de fortes pluies, pensez à vider les soucoupes sous les pots pour éviter toute stagnation de l'eau, favorisant la pourriture des racines.

À quel moment de la journée arroser ?

En été, arrosez aux heures fraîches, matin ou soir, sans mouiller les feuillages encore exposés au soleil (risques de brûlures par effet de loupe).

Arroser plus

- les plantes dans de petits pots,
- les plantes dans des pots en terre cuite,
- par temps chaud ou venté (qui dessèche),
- en période de croissance active,
- en situation ensoleillée,
- les plantes cultivées dans un mélange à base de tourbe, qui sèche plus vite que la terre de jardin,
- les plantes de fraîcheur.

Arroser moins

- les plantes dans de grands pots ou bacs,
- les plantes dans des pots en plastique (moins perméables),
- par temps froid, et pas du tout quand il gèle (risque d'éclatement des pots, de gel des racines),
- en période de repos végétatif,
- en situation ombragée,
- les plantes cultivées dans un mélange retenant bien l'eau,
- les plantes adaptées à la sécheresse, comme les plantes grasses, plantes d'origine méditerranéenne...

En hiver, arrosez si possible vers la fin de matinée, quand la température est un peu plus douce, tout en laissant aux racines le temps d'absorber l'eau avant le refroidissement nocturne.

Les apports d'engrais

Pourquoi ?

À la différence des plantes qui poussent en pleine terre, les racines de celles cultivées en pots ou bacs sur le balcon ou la terrasse ne disposent que d'un volume de terre limité où puiser eau et éléments nutritifs indispensables à leur croissance.

Si les éléments nutritifs ne sont pas renouvelés, le mélange de culture s'épuise en quelques mois et la croissance des plantes ralentit. Il est donc indispensable d'assurer des apports d'engrais en période de croissance active, entre printemps et début d'automne.

Griffez le sol entre les plantes pour aérer terre et terreau.

Les plantes aromatiques et médicinales sont par nature des plantes « sobres », beaucoup moins exigeantes par exemple que les géraniums des balcons qui demandent des apports d'engrais très réguliers pour fleurir tout l'été.

Quel type d'engrais ?

Les engrais complets destinés aux plantes de jardin apportent les 3 éléments nutritifs principaux nécessaires à la croissance, azote (N), phosphore (P) et potassium (K), associés en proportions variables selon les effets recherchés (engrais « universel » ou engrais « légumes », « arbustes »...). Ces engrais complets contiennent aussi généralement des oligo-éléments, en très petite quantité mais utiles également.

Les éléments nutritifs apportés peuvent être d'origine minérale ou organique. Préférez en règle générale utiliser pour les plantes aromatiques et médicinales des engrais d'origine organique, par exemple à base d'algues marines. Leur dosage, la diffusion progressive des éléments nutritifs conviennent mieux à ces plantes peu gourmandes, qui n'ont pas besoin de « coup de fouet » pour stimuler croissance ou floraison. Des apports excessifs se traduisent au contraire chez ces plantes par des tiges qui ramollissent et surtout une perte des saveurs et propriétés aromatiques !

Le juste équilibre

Il faut donc trouver le bon équilibre pour soutenir la croissance des plantes aromatiques et médicinales en pots sans pour autant leur donner « trop » d'engrais.

• ***Arbustes et sous-arbrisseaux en pots ou bacs :*** inutile de leur donner de l'engrais s'ils sont cultivés dans une bonne terre de jardin et s'ils reçoivent chaque année au printemps ou en automne un paillis de compost bien décomposé, riche en éléments nutritifs. S'ils sont cultivés dans un terreau ordinaire, moins riche, soutenez la croissance par des apports d'engrais liquide toutes les 6 semaines environ entre printemps et fin d'été, ou bien faites un unique apport d'engrais organique à action lente au printemps.

• ***Annuelles et vivaces herbacées :***
- inutile de donner de l'engrais aux annuelles à croissance rapide, récoltées au bout de quelques semaines de culture ;
- pour les annuelles et vivaces herbacées cultivées dans un mélange riche en terre de jardin, 2 apports d'engrais liquide faiblement dosé dans l'été suffisent généralement à une croissance vigoureuse ;
- pour les annuelles et vivaces herbacées cultivées dans un terreau ordinaire, faites toutes les 3 semaines des apports d'engrais liquide faiblement dosé (dilué de moitié).

• ***Plantations dans de grands bacs ou massifs surélevés,*** avec un grand volume de terre ou terreau : s'il s'agit de bonne terre de jardin, des apports annuels de compost bien décomposé suffiront généralement à apporter les éléments nutritifs nécessaires à vos bonnes herbes. S'il s'agit de terreau ordinaire, moins riche, apportez si possible un engrais organique ou organo-minéral à diffusion lente en début de saison. Sinon, faites des apports d'engrais liquide toutes les 5-6 semaines au printemps et en été.

Les petits soins

• ***Nettoyage et désherbage :*** pour que vos potées de fines herbes gardent belle allure au fil des mois, nettoyez-les régulièrement. Ne laissez pas s'installer les mauvaises herbes, surtout si vos aromates poussent dans de la terre de jardin, qui renferme souvent des graines ou fragments de mauvaises herbes. Arrachez-les dès que vous les repérez.

Lorsque vous désherbez dans les grands bacs ou massifs

surélevés, profitez-en pour griffer le sol entre les plantes avec une petite griffe à fleurs. Vous aérerez ainsi la terre et le terreau, ce qui facilite l'absorption de l'eau de pluie et d'arrosage.

Nettoyez les touffes de leurs feuilles jaunies, sèches ou malades, coupez ici et là les tiges faibles, disgracieuses ou déséquilibrées, qui déparent la plante. Pensez aussi à pincer les jeunes tiges pour inciter la plante à buissonner et donc à devenir plus touffue. Pincez ainsi basilic, estragon, sarriette...

• ***Suppression des fleurs :*** supprimez les fleurs fanées si vous ne souhaitez pas récolter de graines et si elles nuisent à l'aspect esthétique de la plante, par exemple chez la sauge officinale, la sauge sclarée ou encore la lavande (si vous ne la récoltez pas). Rabattez alors les tiges sous les fleurs les plus basses.

Chez de nombreuses plantes aromatiques, c'est la floraison elle-même que l'on empêche en pinçant les inflorescences dès qu'elles se forment. La floraison « consomme » en effet une partie de l'énergie de la plante, énergie qui est perdue pour la formation de nouvelles pousses et feuilles. Qui plus est, le feuillage est souvent moins parfumé et moins aromatique une fois la plante fleurie. C'est pourquoi l'on préfère souvent supprimer les fleurs qui se forment, par exemple chez livèche, mélisse, basilic, ciboulette... À vous de choisir si les fleurs présentent malgré tout un intérêt décoratif !

• ***Toilette d'automne :*** quand les gelées sont de retour, arrachez les annuelles aromatiques des jardinières, videz les potées ne contenant que des annuelles. Vous les renouvellerez au printemps prochain.

C'est aussi le moment de rabattre les tiges sèches des plantes vivaces qui demeurent, elles, dans leurs pots et bacs jusqu'au printemps prochain. Elles émettront alors de nouvelles pousses. Coupez presque au ras du sol les tiges sèches ou flétries de la livèche, du fenouil, de la ciboulette, de l'origan, de la menthe…

Le rempotage

Plantes vivaces comme oseille, origan, menthe, sous-arbrisseaux comme thym, sarriette, hysope, et arbustes comme laurier, romarin, sauge, demandent à être régulièrement rempotés lorsqu'ils sont cultivés en pots ou bacs.

Rempotez chaque année au printemps les jeunes sujets ou plantes qui se sont beaucoup étoffés. Par la suite, un rempotage tous les 2 ou 3 ans suffit, en particulier pour les plantes qui se plaisent relativement à l'étroit dans leur pot, comme l'origan.

Choisissez un pot à peine plus grand (2 cm de diamètre en plus) pour les plantes qui ont atteint leur maturité, mais offrez plus d'espace à celles en pleine croissance, avec un pot d'un diamètre supérieur de 4 à 10 cm, selon le type de plante.

Commencez par bien arroser la plante à rempoter, elle sera plus facile à extraire de son pot. Préparez ensuite le nouveau pot : couvrez le ou les trous de drainage de tessons de pot et étalez une couche de drainage, gravier ou billes d'argile. Ajoutez une couche de terre ou terreau approprié, sur quelques centimètres, de façon à amener la surface de la motte à rempoter 2-3 cm sous le rebord du pot.

Extrayez la plante de son pot. Tout en conservant la motte de racines, éliminez le plus possible de terre ou terreau friable, appauvri, autour des racines. Recoupez si nécessaire les racines abîmées, démêlez-les si elles ont tendance à s'enrouler en chignon.

Placez la motte dans le nouveau pot en la positionnant au milieu ; bien orientée, puis comblez de terre ou terreau en tassant au fur et à mesure du bout des doigts. Terminez par un bon arrosage. Attendez 6-8 semaines avant de faire des apports d'engrais.

La taille

Les arbustes et sous-arbrisseaux aromatiques, comme laurier, romarin, santoline demandent à être taillés de temps à autre pour conserver une belle silhouette d'ensemble. On peut distinguer plusieurs types de taille selon le but recherché.

Taille de nettoyage en fin d'hiver ou printemps

Il s'agit de débarrasser les arbustes et sous-arbrisseaux ayant passé l'hiver sur le balcon ou la terrasse, ou bien dans la maison ou la véranda, de leurs tiges faibles, dégarnies ou mal placées.

Attendez la fin des gelées pour pratiquer cette taille car elle favorise la formation de nouvelles pousses qui seraient sensibles au gel.

N'hésitez pas à tailler court les plantes ayant passé l'hiver sous abri et qui peuvent avoir manqué de lumière. Supprimez les pousses étiolées, taillez court les tiges à entre-nœuds anormalement longs car elles manqueront de vigueur.

Les plantes ayant passé l'hiver dehors peuvent avoir plus ou moins souffert du froid : supprimez les tiges sèches, celles dégarnies ou encore celles qui déséquilibrent la silhouette. Rabattez aussi les touffes basses d'hysope et sarriette pour qu'elles demeurent bien compactes.

Taille après floraison

C'est une taille légère, pour redonner aux touffes ayant fleuri une forme bien compacte en coupant les tiges sous les feuilles les plus basses. Taillez ainsi lavande et sauge.

Taille des haies basses

Si vous avez composé un bac ou massif surélevé des bordures basses de romarins ou santolines, taillez-les une première fois au printemps, après les gelées, pour les égaliser, puis à nouveau en septembre.

Taille des topiaires

Parmi les plantes aromatiques arbustives, laurier, romarin, santoline (formation en boule uniquement) et myrte sont celles qui se prêtent le mieux à la formation en topiaires. La verveine-citronnelle supporte la formation sur tige.

Vous pouvez les former en arbustes-tiges, avec une boule de feuillage sur un « tronc » nu, ou encore en pyramide ou sphère basse.

La formation sur tige

Choisissez un jeune sujet à tige principale vigoureuse et bien droite. Supprimez les autres tiges éventuelles, la plupart des ramifications latérales à l'exception de quelques-unes dans la partie supérieure de la tige. Raccourcissez de moitié les ramifications conservées. Tuteurez si nécessaire la tige pour lui imposer une croissance parfaitement verticale.

Évolution d'un sujet formé sur tige.

Rempotez régulièrement la jeune plante et supprimez progressivement les pousses latérales au fur et à mesure de la croissance. Lorsque la tige principale a atteint la hauteur souhaitée, laissez-lui former encore quelques pousses, puis étêtez-la. Cette coupe favorise la formation de nombreuses pousses sous le point de coupe, pousses qui formeront la « tête » de feuillage de l'arbuste sur tige.

Continuez à supprimer les ramifications apparaissant plus bas sur la tige, et pincez les pousses de la couronne pour que celle-ci s'étoffe peu à peu. Selon l'arbuste, adoptez une silhouette naturelle pour la couronne, pour la verveine-citronnelle par exemple, ou bien taillez-la en boule, pour le laurier par exemple.

La formation en pyramide

Aidez-vous d'un gabarit, permanent ou non, pour une taille bien régulière. Choisissez pour cette forme au contraire un jeune sujet bien buissonnant, au feuillage fourni. Soignez progressivement la forme en supprimant les pousses qui dépassent du gabarit. Si vous taillez « à l'œil nu », prenez du recul pour juger de l'effet obtenu.

La formation en boule

Comme pour la taille en pyramide, choisissez un sujet bien touffu. Pincez éventuellement les jeunes tiges pour les inciter à buissonner plus. Taillez à l'œil ou en vous aidant d'un gabarit.

Pour l'entretien des formes topiaires, une intervention annuelle suffit généralement, au printemps (en début d'été pour le laurier) pour rectifier la silhouette, supprimer les pousses qui dépassent. Si nécessaire, intervenez à nouveau en fin d'été pour les formes à croissance rapide comme la santoline.

Vous pouvez travailler à la cisaille pour les plantes à petites feuilles, mais préférez le sécateur et la taille de précision pour le laurier-sauce, car les feuilles coupées sont disgracieuses.

L'hivernage des plantes fragiles

Lesquelles rentrer en hiver ?

Verveine-citronnelle, aloès, géraniums odorants, myrte dans la plupart des régions (sauf Côte d'Azur et régions à hivers doux), laurier et romarin en région à hivers très froids.

Comment les conserver sous abri ?

L'idéal est de disposer d'un local de type véranda, très lumineux, mais peu chauffé (8-12 °C), où vous conserverez les pots et bacs, avec des arrosages parcimonieux (tous les 10 jours à peine en hiver, plus à l'approche du printemps). Un garage même modérément éclairé peut aussi convenir. Il suffira de tailler plus sévèrement les tiges étiolées au printemps.

Par grand froid sur le balcon ou la terrasse

- En fin d'automne ou du moins quand de fortes gelées sont annoncées, déplacez si possible les pots et bacs conservés sur le balcon ou la terrasse pour les placer en situation la plus abritée possible.
- En particulier, placez-les dans la mesure du possible à l'abri des pluies froides. En effet des pluies abondantes suivies de gelées peuvent faire éclater les pots lorsque les mottes sont très humides et se dilatent sous l'effet du gel. Les racines risquent de geler également.
- En cas de chutes de neige assez abondantes, dégagez la ramure des arbustes à feuillage persistant comme laurier ou romarin, qui peuvent casser sous le poids de la neige.

Un matelas de branchages de conifères constitue une bonne protection.

Lesquelles protéger sur le balcon ou la terrasse ?

En période de grand froid, pensez notamment à protéger sauge, estragon, origan, santoline, thym et autres sous-arbrisseaux aromatiques.

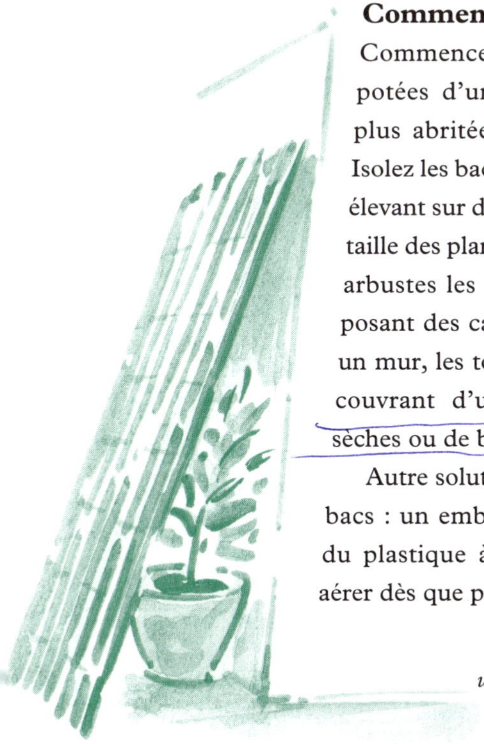

Comment les protéger ?

Commencez par rapprocher les potées d'un mur, où elles seront plus abritées du vent et du froid. Isolez les bacs du sol froid en les surélevant sur des cales en bois. Selon la taille des plantes, protégez ensuite les arbustes les jours les plus froids en posant des canisses appuyées contre un mur, les touffes plus basses en les couvrant d'un matelas de feuilles sèches ou de branchages de conifères.

Autre solution pour les arbustes en bacs : un emballage temporaire dans du plastique à bulles, mais veillez à aérer dès que possible.

Des canisses appuyées contre un mur protégeront une potée.

La multiplication

Si votre jardin d'herbes se limite à un appui de fenêtre, peut-être ne voyez-vous guère l'intérêt de pratiquer vous-même semis ou bouturage quand il est si simple d'acheter quelques godets pour composer une jardinière !

Si par contre vous disposez d'un balcon un peu grand, d'une terrasse, si vous vous découvrez un intérêt pour ces bonnes herbes, pourquoi ne pas envisager de les multiplier vous-même. Vous pourrez ainsi renouveler vos potées, accroître les effectifs, faire des cadeaux aromatiques, des échanges, et vous vous prendrez sans doute au jeu de cette multiplication, très facile dans bien des cas, qu'il s'agisse de semer des annuelles, de bouturer ou marcotter des arbustes, de diviser des vivaces à croissance rapide.

Vous trouverez dans la partie *Les plantes aromatiques et médicinales de A à Z* des précisions sur les modes de multiplication les plus adaptés à chaque espèce.

Le semis

Même sur un petit balcon, il est intéressant de semer soi-même quelques annuelles à grosses graines comme la capucine. Vous pouvez les semer directement dans leurs pots définitifs. Sont également à semer soi-même les herbes annuelles dont on récolte les jeunes feuilles régulièrement et dont on renouvelle les semis dans la saison, comme coriandre ou cerfeuil.

Dès que la surface de votre jardin d'herbes devient plus importante, libre à vous de multiplier les semis avec les nombreuses annuelles médicinales et aromatiques. Certaines vivaces sont faciles à obtenir de semis également (estragon, mélisse…), technique intéressante si vous souhaitez obtenir un assez grand nombre de plantes.

• ***La technique :*** voir « La plantation ou le semis » p. 10.

La division

Peut-être la plus facile des techniques de multiplication, elle convient aux plantes vivaces qui se développent en touffes aux nombreuses tiges. Il suffit de dépoter la plante et de diviser la motte en plusieurs éclats comportant chacun quelques pousses et racines au moins. Ainsi menthe, mélisse, ciboulette, origan, consoude et autres peuvent être divisées, au printemps ou en début d'automne. La division permet d'obtenir plusieurs touffes, mais aussi de rajeunir et renouveler une grosse touffe qui commence à se dégarnir ou se lignifier en son centre.

Divisez la touffe en plusieurs éclats.

• *La technique :*

• commencez par dépoter ou arracher délicatement la touffe (si elle est dans un bac avec d'autres plantes).

• éliminez une partie du terreau pour mieux distinguer les racines, supprimez pousses ou feuilles sèches, abîmées. Éliminez également la partie centrale si elle est moins belle et moins vigoureuse.

• à la main ou en vous aidant d'une petite fourche à fleurs et d'un transplantoir si la motte est très dense, divisez la touffe en plusieurs éclats, en fonction du nombre que vous souhaitez obtenir, des pots que vous leur destinez... Un éclat de belle taille reconstituera bien sûr plus rapidement une touffe large. Veillez à ce que chaque éclat porte au moins quelques belles racines et pousses. Dans le cas de la ciboulette, mieux vaut recouper les feuilles à quelques centimètres de la base pour favoriser la reprise.
• rempotez individuellement chaque éclat, dans un bon mélange de culture, approprié à l'espèce. Terminez par un bon arrosage. Surveillez les arrosages jusqu'à la reprise d'une croissance vigoureuse.

Le bouturage

C'est la technique à utiliser pour multiplier arbustes et sous-arbrisseaux comme thym, romarin, lavande, santoline... mais aussi les géraniums odorants.

On procède généralement par bouturage des tiges, en prélevant des pousses vigoureuses, dépourvues de fleurs, que l'on fait raciner dans de petits pots. La période de prélèvement des boutures a son importance car, selon les espèces, les boutures herbacées, jeunes pousses tendres prélevées au printemps ou en début d'été, s'enracinent plus facilement que les boutures semi-ligneuses, prélevées plus tard en saison et donc lignifiées à la base, et qui conviennent mieux à d'autres plantes.
Boutures herbacées : origan, tanaisie, menthe, géraniums odorants, armoise, verveine-citronnelle, sauge...
Boutures semi-ligneuses : romarin, thym, lavande, myrte, laurier...

• *La technique :*

• choisissez pour le bouturage quelques pousses vigoureuses, non florifères, au feuillage sain et fourni. Coupez des boutures de 10-12 cm de long, que vous recouperez juste sous un nœud, point d'attache d'une feuille, car c'est là que les racines se forment le plus facilement. Supprimez les feuilles inférieures de la bouture.

• préparez godets individuels ou pots accueillant plusieurs boutures : remplissez-les de terreau pour semis et bouturage,

Supprimez les feuilles inférieures de la bouture et trempez-la dans une poudre d'hormones de bouturage avant de la mettre en terre.

ou de terre de jardin allégée de sable grossier. Avec un bâtonnet ou crayon, préparez les trous dans lesquels vous glisserez les boutures.
• trempez la base des boutures dans une poudre d'hormones de bouturage, qui favorise la formation des racines. Tapotez ensuite la tige des boutures pour éviter tout excès de poudre. Glissez les boutures dans les trous, tassez délicatement.
• pour terminer, humidifiez bien le terreau. Gardez les boutures en situation assez chaude, sous cloche ou châssis éventuellement, à la lumière mais jamais en plein soleil, et maintenez le terreau légèrement humide pendant toute la phase d'enracinement (1 à 2 mois selon les espèces et le type de bouture).
• vous pourrez ensuite rempoter individuellement les boutures et les planter à l'automne ou au printemps suivant dans un bac ou une jardinière.

Le marcottage

Moins utilisé, il est pourtant très facile à réaliser au printemps pour certaines plantes aromatiques comme thym, romarin ou sauge officinale. Cette méthode consiste à faire raciner un ou plusieurs rameaux avant de les séparer de la plante mère. Les tiges basses s'y prêtent donc tout particulièrement.

• *La technique :*

• choisissez une ou plusieurs jeunes pousses basses, vigoureuses. Éliminez les feuilles à l'endroit où la pousse sera plaquée au sol.
• si la tige est assez épaisse, entaillez-la superficiellement sur sa face inférieure : les racines se formeront plus facilement au niveau de l'entaille.
• creusez une petite rigole dans le terreau du pot ou bac pour y coucher la partie dénudée de la pousse en laissant dépasser l'extrémité feuillue. Maintenez la marcotte en place avec un

petit crochet de fil métallique et couvrez de terreau léger, sableux.

• quelques mois plus tard, en début d'automne, vérifiez que la marcotte a formé des racines. Séparez-la de la plante mère en la coupant juste avant les racines et rempotez-la individuellement.

• les grosses touffes très étalées de thym se prêtent à une technique particulière, le marcottage en buttée. Il suffit de couvrir les rameaux bas au printemps de terreau sableux, en laissant leur extrémité dépasser. Les pousses s'enracinent et il suffit ensuite de les rempoter individuellement ou par plusieurs pour former rapidement de belles potées.

Entaillez la tige et fixez-la par un petit crochet.

Maladies et parasites à surveiller

Rassurez-vous, les plantes aromatiques et médicinales sont en règle générale des plantes robustes, moins sensibles aux maladies et parasites que la plupart des autres plantes de jardin. La richesse de leurs tissus en huiles essentielles les protège bien souvent contre les attaques des insectes et font même d'elles des « plantes compagnes » intéressantes pour éloigner les insectes parasites du potager ou des rosiers, par exemple.

> ### Quelques plantes aromatiques aux propriétés insecticides
>
> Armoise, santoline, tanaisie, ciboulette, sarriette, géranium odorant, *Helichrysum italicum*, souci, mélisse, sauge.

Quelques parasites et maladies courants peuvent cependant se déclarer. Il est bon de savoir les identifier afin d'intervenir rapidement et à bon escient.

Les pucerons

Ces petits insectes verts, noirs ou bruns, connus de tous les jardiniers, s'attaquent à d'innombrables plantes, y compris des plantes aromatiques ou médicinales, en particulier la capucine, mais aussi l'aneth, parfois le basilic… S'agglutinant sur les jeunes pousses, les fleurs et boutons floraux, ils sucent la sève de la plante, l'affaiblissent donc, sans compter que celle-ci devient peu appétissante ! Qui plus est, les pucerons déposent sur les feuilles un miellat collant sur lequel se développe ensuite la fumagine, fine moisissure noirâtre.

• ***Les remèdes :*** ne les laissez surtout pas s'installer. Coupez les pousses atteintes ou écrasez les colonies de pucerons entre les doigts. Pour les arbustes, vous pouvez soumettre les tiges infestées à un jet d'eau puissant qui délogera les pucerons.

Évitez toujours les insecticides systémiques, véhiculés par la sève et transportés jusque dans les feuilles. Si vous devez traiter, préférez utiliser un insecticide naturel, à base de roténone ou pyrèthre. Attendez ensuite au moins 15 jours avant de consommer feuilles ou fleurs (après les avoir lavées). Des pulvérisations d'eau savonneuse (à base de savon de Marseille) sont efficaces également.

Les mouches blanches

Elles arrivent souvent au balcon ou au jardin par l'intermédiaire de jeunes plants élevés au chaud sous serre. Ce sont de minuscules mouches blanches qui s'agglutinent et pondent à la face inférieure des feuilles. Elles s'envolent dès que l'on frôle les feuilles. Elles se multiplient très rapidement mais sont heureusement moins virulentes dehors que sous abri. Ce sont également des parasites suceurs de sève. Vous pourrez, par exemple, les observer sur des plants de basilic semés au chaud.

• ***Les remèdes :*** sur le balcon ou la terrasse, évitez de traiter, car elles pulluleront moins que sous abri. Contentez-vous si possible de couper les pousses les plus atteintes. Si l'attaque se déclare sur des plantes passant l'hiver sous abri, posez des plaques jaunes engluées qui les attirent, ou faites des traitements insecticides répétés à 8 jours d'intervalle.

Les cochenilles

Assez rares chez les plantes aromatiques, les cochenilles peuvent cependant envahir le laurier ou le myrte, surtout lors d'un hivernage à température trop chaude. Ces parasites prennent la forme de petites carapaces brunes immobiles ou de petits amas cotonneux blanchâtres, peu mobiles, de 2-3 mm de long, surtout sous les feuilles, le long des nervures. Les cochenilles sucent la sève, affaiblissent donc la plante, et déposent elles aussi un miellat collant favorable au développement de la fumagine sur les feuilles.

• ***Les remèdes :*** si elles sont peu nombreuses, délogez les cochenilles en les grattant avec l'ongle ou en frottant avec un coton imbibé d'alcool à 60°. Coupez au besoin feuilles et pousses les plus envahies, mais évitez là encore les traitements chimiques. Il existe en dernier ressort des insecticides anti-cochenilles à base d'huile de paraffine.

L'oïdium

C'est une maladie assez courante au jardin, favorisée par des alternances de périodes sèches et humides, par des arrosages irréguliers dans le cas de plantes en pots. Des plantes trop serrées favorisent par ailleurs l'extension de la maladie. Elle se manifeste sous forme de feutrage blanc ou grisâtre sur les feuilles et même les fleurs et apparaît surtout à partir de la mi-été.

• ***Les remèdes :*** agissez surtout à titre préventif, en assurant tout l'été des arrosages réguliers en période sèche, en arrosant de préférence au pied des plantes sensibles (sans mouiller le feuillage) et en veillant à ne pas trop serrer les pots. Si l'oïdium apparaît, coupez aussitôt les pousses et feuilles atteintes. Éliminez au besoin les plantes très atteintes. S'il s'agit d'arbustes, traitez à la bouillie bordelaise.

La rouille

Autre maladie assez courante au jardin, la rouille se caractérise par de petites pustules rouille ou orange sous les feuilles. Elle peut être favorisée par une période humide prolongée et atteint surtout, parmi les plantes aromatiques, menthe et estragon.

• ***Les remèdes :*** il n'y en a guère au balcon ou sur la terrasse. Éliminez le plus tôt possible les feuilles malades pour essayer d'enrayer le développement de la maladie. Rabattez les tiges au besoin. Si la maladie persiste, mieux vaut éliminer la plante plutôt que de faire des traitements fongicides répétés.

Diverses pourritures

Les pourritures se développent surtout en cas d'humidité excessive, d'humidité stagnante au niveau des racines, humidité d'autant plus mal supportée par les plantes aromatiques qu'elles demandent une situation sèche, un terreau bien drainé. La pourriture des racines ou du collet se traduit par un affaissement des tiges, qui pourrissent ensuite elles aussi.

• ***Les remèdes :*** il est en général difficile de sauver les plantes. Il est plus important d'agir à titre préventif, c'est-à-dire d'offrir aux plantes une exposition et un mélange de culture adaptés à leurs besoins, de veiller en période très pluvieuse à vider régulièrement soucoupes ou cache-pots pour éviter toute humidité stagnante.

Récolte et conservation des bonnes herbes

Plantes aromatiques et médicinales cultivées sur le balcon ou la terrasse sont là pour le plaisir des sens : floraisons et feuillages décoratifs, ainsi que parfums, textures à toucher, mais aussi goûts à découvrir dans la cuisine, les tisanes…

Sachez les cueillir au bon moment pour profiter du meilleur des arômes et des propriétés des bonnes herbes, apprenez aussi à les conserver pour en profiter tout au long de l'année.

La récolte

Pour une utilisation immédiate, cueillez tout l'été au fur et à mesure de vos besoins, juste la quantité nécessaire. Il suffit d'attendre que les annuelles semées soient assez développées, que les vivaces ou arbustes aient de belles pousses… et vous

Coupez aux ciseaux les sommités fleuries de la lavande.

pouvez commencez à couper feuilles, jeunes pousses ou fleurs. Procédez ainsi pour basilic, menthe, mélisse et bien d'autres.

Les feuillages persistants, comme ceux du romarin, du thym, de la sauge ou du laurier, peuvent encore être cueillis, en petites quantités, durant l'hiver, même s'ils sont moins parfumés qu'en été.

Lorsque vous souhaitez récolter en quantité plus importante, pour conserver les herbes, intervenez en règle générale juste avant la floraison des plantes. C'est en effet juste avant l'épanouissement que les feuilles ont la texture la plus ferme et sont le plus riches en huiles essentielles.

Les règles pour une bonne récolte

- utilisez ciseaux fins ou petit sécateur bien aiguisés pour ne pas écraser ou abîmer les tiges, et donc ne pas nuire à la poursuite de la croissance des plantes.
- faites vos cueillettes par temps sec, assez ensoleillé, après disparition de toute rosée matinale, mais avant la grande chaleur de l'après-midi (qui se traduit par une perte en huiles essentielles et donc en arôme).
- choisissez des jeunes pousses vigoureuses et non des feuilles douteuses.
- coupez les jeunes feuilles des herbes comme livèche, persil, coriandre ou pourpier. Sur les touffes herbacées ou arbustives, coupez des extrémités de pousses seulement, de façon à inciter la plante à former de nouvelles pousses et à buissonner.
- récoltez selon vos besoins immédiats ou pour la conservation, pas plus car les parties coupées s'abîment vite.

Récolte des feuilles ou pousses

Procédez différemment selon qu'il s'agit d'annuelles, de vivaces en touffes ou d'arbustes, et selon la taille des feuilles.

Cueillez feuille à feuille, avec le pétiole, dans le cas des espèces à grandes feuilles comme laurier, sauge, livèche. Dans le cas des espèces à petites feuilles comme origan, thym, hysope, coupez tout ou partie de la tige avec les feuilles.

• ***annuelles :*** coupez feuilles entières ou pousses fraîches. Les touffes peuvent souvent être rabattues presque à la base et offriront une nouvelle repousse en quelques semaines.

• ***vivaces herbacées :*** coupez feuilles ou tiges entières, mais laissez toujours quelques pousses pour que la plante poursuive sa croissance et se régénère.

• ***arbustes ou sous-arbrisseaux :*** coupez feuilles entières ou jeunes pousses, mais ne coupez pas les tiges trop bas car le vieux bois se régénère difficilement, par exemple pour lavande ou sauge. Vers la fin de la saison de croissance, ne faites pas trop de cueillettes sur ces arbustes, sans quoi ils émettront de jeunes pousses qui ne résisteront pas à l'hiver. Dans le cas des sous-arbrisseaux bas comme le thym, ménagez la touffe en ne cueillant que quelques brins à chaque passage.

Récolte des fleurs

Cueillez-les toujours en début d'épanouissement car elles évoluent encore pendant le séchage. Cueillies trop épanouies, les pétales tombent ensuite. Dans le cas des inflorescences, attendez que quelques fleurs soient bien ouvertes pour les cueillir, ce qui demande de surveiller de près la floraison !

Coupez toute l'inflorescence avec une partie de la tige qui la porte pour récolter l'ensemble des sommités fleuries, par exemple dans le cas de la lavande ou bien coupez délicatement fleur par fleur, avec de petits ciseaux, dans le cas d'une utilisation individuelle, par exemple pour la bourrache, la capucine ou la camomille.

Récolte des graines

Les graines doivent être récoltées à maturité, mais avant qu'elles ne tombent. Surveillez de près leur évolution et récoltez-les dès qu'elles brunissent. Pour vous faciliter la tâche, coupez toute la « tête » ou inflorescence ayant formé des graines, puis secouez celle-ci sur une grande feuille ou un linge pour récupérer les graines.

Les techniques de conservation

Selon les plantes ou l'utilisation recherchée, il existe différentes techniques qui permettent de conserver les bonnes herbes pendant quelques semaines, mois ou même années. Si le séchage demeure le mode de conservation le plus courant, la congélation est bien pratique pour les herbes aromatiques utilisées à la cuisine, tandis que huile, vinaigre et sucre aromatisés sont très simples à préparer.

Le séchage

• ***La préparation au séchage :*** après la cueillette, faites un premier tri des déchets éventuels à éliminer : mauvaises herbes coupées avec les tiges, pousses faibles ou jaunies, feuilles ou fleurs abîmées…

Préparez ensuite les végétaux pour le séchage : étalez sur des clayettes ou mousselines les grandes feuilles, les fleurs individuelles… Liez en petits bouquets les pousses ou sommités fleuries à faire sécher tête en bas.

• ***Pour un séchage réussi :*** pour conserver le mieux possible les propriétés des herbes médicinales, comme aromatiques, le séchage doit être rapide sans que la température soit excessive (pas plus de 30 °C).

Les conditions indispensables à un bon séchage sont :

- l'obscurité ou presque (pour conserver les couleurs),
- un bon renouvellement de l'air,
- une température de 20 à 30 °C dans un air sec.

Quelques bouquets ou des feuillages étalés sur des clayettes sècheront, par exemple, facilement dans un grenier bien aéré. Dans un appartement, utilisez une armoire proche de la chaudière ou du chauffe-eau, ou encore une pièce fermée et chauffée avec un radiateur électrique.

Même réglé au plus doux, le four est généralement trop chaud pour un bon séchage.

Si vous avez de nombreuses herbes à faire sécher à plat, confectionnez un séchoir constitué de cadres de bois superposés (espacés de 40 cm environ) et tendez sur les cadres mousseline ou grillage à maille fine.

• ***Le séchage des graines :*** suspendez les inflorescences ou fruits tête en bas, au-dessus d'une mousseline ou d'une grande feuille de papier. Les graines sèches tomberont au fur et à mesure ou vous les détacherez facilement de l'inflorescence. Laissez encore sécher les graines à plat environ 8 jours avant de les stocker.

Comment conserver les herbes après séchage

Une fois les feuilles, pousses ou fleurs bien sèches, il est préférable de les stocker dans des récipients hermétiques, à l'abri de la poussière, mais aussi des variations d'humidité de l'air ambiant. Les feuilles risquent en effet de réabsorber de l'humidité et de moisir dans un air humide, de se dessécher jusqu'à s'effriter dans un air très sec.

L'idéal est un récipient étanche et opaque, pour préserver les propriétés aromatiques. Conservez graines, feuilles ou fleurs dans des bocaux de verre (rangés dans une armoire obscure), ou bien dans des boîtes métalliques ou des pots de grès bien fermés, toujours dans un local sec. N'oubliez pas d'étiqueter bocaux et boîtes si nécessaire.

Lesquelles faire sécher ?

Toutes les feuilles ou fleurs des bonnes herbes ne se prêtent pas au séchage. Certaines sont faciles à faire sécher et conservent tout leur intérêt, tandis que d'autres sèchent mal ou perdent toute saveur ou arôme.

- ***À faire sécher :*** achillée, aneth, armoise, balsamite, bleuet (fleurs), calament, camomille (fleurs), herbe-aux-chats, hysope, laurier, lavande, mélisse, menthe, origan, pulmonaire, romarin, sarriette, sauge, souci (fleurs), thym, verveine citronnelle, verveine officinale ;
- ***À ne pas faire sécher :*** arroche, basilic, bourrache, capucine, cerfeuil, ciboulette, fenouil, livèche, oseille, persil, roquette.

Confectionnez un séchoir pour faire sécher à plat herbes et feuilles.

La congélation

Mode de conservation plus marginal que le séchage, la congélation n'est pas moins aussi précieuse que pratique pour de nombreuses « fines herbes » utilisées à la cuisine. Elle permet en particulier de conserver des plantes qui se prêtent mal au séchage comme persil ou basilic. N'espérez pas cependant les conserver plus de quelques mois au congélateur.

Utilisez des feuilles très fraîches, lavez-les rapidement si nécessaire, puis essuyez-les délicatement dans du papier absorbant. Placez-les aussitôt dans de petits sachets de congélation, après avoir identifiés ceux-ci. Vous pouvez aussi grouper dans des sachets des mélanges d'herbes que vous utilisez couramment pour tel ou tel plat ou soupe.

À la décongélation, les feuilles n'ont bien sûr pas la même texture que les feuilles fraîches, aussi est-il souvent préférable de les hacher encore congelées avant de les utiliser.

Une autre astuce consiste à congeler les herbes seules ou en mélange dans un bac à glaçons. Vous utiliserez les glaçons aux aromates au fur et à mesure de vos besoins :

- ***herbes à congeler :*** basilic, cerfeuil, ciboulette, coriandre, estragon, livèche, mélisse, menthe, origan, oseille, persil, pimprenelle ;
- ***glaçons aux herbes :*** menthe, persil, ciboulette, fleurs de bourrache, pimprenelle…

Huile, vinaigre, sucres aromatisés

Huiles et vinaigres aromatisés aux herbes sont faciles à préparer et offrent un excellent moyen de conserver les arômes. Utilisez selon vos goûts une seule plante comme aromate ou bien des herbes en mélange, en vous assurant que leurs goûts s'harmonisent bien.

Huile aromatisée

- ***Les ingrédients :*** huile végétale de qualité, légère au goût (par exemple, huile de tournesol), 2 bonnes poignées d'herbes fraîches pour 1 l d'huile, 1 bocal en verre propre avec fermeture hermétique.
- ***La préparation :*** hachez les herbes et versez-les dans le bocal ; recouvrez entièrement d'huile et fermez bien le bocal. Conservez le bocal en situation assez chaude pour que les arômes se libèrent. Au bout de 8 ou 10 jours, filtrez l'huile du bocal et renouvelez les herbes pour renforcer l'arôme. Répétez l'opération jusqu'à ce que l'huile soit assez parfumée à votre goût. Filtrez alors une dernière fois et versez l'huile dans une bouteille stérilisée. Consommez-la dans les quelques mois qui suivent.

Vinaigre aromatisé

- ***Les ingrédients :*** vinaigre de cidre ou de vin de qualité, feuilles d'aromates fraîches ou séchées (estragon, mais aussi basilic, sarriette, origan, cerfeuil, fenouil…), 1 bocal en verre propre avec fermeture hermétique.
- ***La préparation :*** versez une bonne quantité d'herbes dans le bocal, puis couvrez entièrement de vinaigre. Les herbes infusent en 2 à 3 semaines sans qu'il soit nécessaire de les renouveler. Filtrez le vinaigre, puis versez-le dans une bou-

teille stérilisée. Pour la décoration, vous pouvez ensuite y glisser 1 ou 2 brins d'herbes fraîches, car le vinaigre est un bon conservateur.

Sucres aromatisés

Moins courants, les sucres aromatisés sont pourtant intéressants pour la pâtisserie. Essayez ainsi le sucre de lavande, délicieux dans les pâtisseries et petits gâteaux « maison ».

Pour le préparer, égrenez une quinzaine d'épis de lavande en les écrasant légèrement et mélangez-les à 1 livre de sucre en poudre dans un bocal étanche. Laissez infuser environ 2 semaines, puis tamisez pour éliminer les fleurs avant d'utiliser le sucre. Si vous ne laissez les fleurs que quelques jours, vous pouvez utiliser le sucre aussitôt, avec les fleurs.

Une autre variante consiste à parfumer du miel avec de la lavande ou du romarin. Pour cela, faites fondre doucement 250 g de miel avec une dizaine de brins de romarin ou une quinzaine d'épis de lavande en mélangeant bien, puis laissez infuser 1 heure ou 2 avant de filtrer le miel et de remettre en pot.

L'entretien au fil des saisons

Si le printemps est la saison essentielle pour composer un mini-jardin d'herbes, et l'été la saison des cueillettes, tout ne s'arrête pas à la fin de l'été. Adaptez vos soins aux besoins saisonniers des plantes pour conserver toute l'année et au fil des ans un décor esthétique et précieux sur le balcon ou la terrasse.

Le printemps

Les plantes conservées en hiver sur le balcon ou dans la maison reprennent peu à peu une croissance active, suivant le réchauffement de l'air, l'allongement de la durée du jour. Il est temps de penser aux semis et nouveaux aménagements, de multiplier ou renouveler certaines plantes, de faire des achats !

Les travaux

• ***Multiplication :*** dès mars-avril, semez en situation abritée les annuelles rustiques, qui ne craignent pas le froid, comme souci ou bourrache. Vous pouvez également commencer les semis de vivaces, sous châssis de préférence, par exemple fenouil, origan, marrube.

Attendez que le temps se réchauffe, courant mai, pour semer dehors les annuelles frileuses comme basilic ou marjolaine. Le semis au chaud dans la maison est une bonne solution pour gagner du temps sur le printemps !

Début ou milieu de printemps conviennent également pour diviser les grosses touffes d'herbes vivaces comme oseille, ciboulette, mélisse. Attendez le milieu du printemps en région froide pour bouturer ou marcotter les arbustes et sous-arbrisseaux, l'enracinement sera plus rapide.

• ***Repiquage, rempotage et plantation :*** semis et boutures demandent à être repiqués ou rempotés quelques semaines plus tard. Même si vous les laissez en pot, préférez également rempoter dans un terreau approprié les plantes aromatiques ou médicinales achetées en godets ou pots. Prévoyez un pot un peu plus grand.

Le printemps est bien sûr la grande saison des plantations, au balcon ou sur la terrasse. Composez jardinières, bacs ou massifs surélevés, toujours en tenant compte de l'exposition et des besoins des plantes. Associez dans un même contenant des espèces aux exigences similaires, tout simplement parce que vous ne pourrez pas en arroser une plus que l'autre ou lui offrir un mélange plus drainant. Cet aspect est une condition indispensable à la réussite, même si certaines espèces se révèlent accommodantes, comme menthe, mélisse ou ciboulette, qui acceptent ombre ou soleil.

Pensez à acheter ou préparer à l'avance tout ce qu'il vous faut pour les rempotages et plantations : contenants et soucoupes, mélanges terreux, végétaux...

• ***Arrosage et engrais :*** au cours du printemps, augmentez progressivement la quantité d'eau apportée comme la fréquence des arrosages, pour suivre l'accélération de la croissance.

Surveillez de près l'arrosage des jeunes semis, de façon à ne jamais les laisser sécher.

Si vous ne les rempotez pas, apportez un engrais, organique de préférence, aux vivaces et arbustes conservés d'une année à l'autre.

En période de fortes pluies, pensez à vider régulièrement les soucoupes sous les pots pour éviter toute humidité stagnante ou mieux, déplacer les pots vers un emplacement où ils ne sont pas ou peu exposés à la pluie.

• ***Sortie des plantes en hivernage :*** sortez en douceur les arbustes et sous-arbrisseaux ayant passé l'hiver dans la véranda, la maison ou le garage.

Commencez par rempoter celles qui en ont besoin, puis taillez-les pour éliminer les pousses faibles ou étiolées, raccourcir les tiges et équilibrer la silhouette. Augmentez progressivement les arrosages.

Accordez-leur, en milieu de printemps, une phase d'endurcissement progressif, quelques heures par jour en situation abritée, si possible. Sinon, attendez impérativement que les derniers froids soient passés et installez les pots d'abord 1 semaine en situation abritée avant de les placer à l'endroit prévu.

• ***Taille et nettoyage des arbustes et vivaces :*** arbustes, vivaces et bisannuelles ayant passé l'hiver demandent également quelques soins lors de la reprise printanière de la croissance.

Méfiez-vous des premiers redoux et attendez la fin des gelées pour les tailler, les débarrasser des tiges sèches, faibles ou abîmées. Supprimez aussi les feuilles sèches, griffez le mélange terreux en surface pour l'aérer si vous ne rempotez pas, désherbez si nécessaire.

Taillez les topiaires et les bordures basses.

Pensez aussi à agrémenter le pied des arbustes de quelques plants d'annuelles fleuries, par exemple.

L'été

Chaleur et ensoleillement impliquent de suivre de très près l'arrosage, de prévoir votre absence si vous partez en vacances. C'est la grande saison des cueillettes, de la préparation des herbes à conserver, sécher ou congeler.

Les travaux

• ***Bouturage et nouveaux semis :*** poursuivez le bouturage des arbustes et sous-arbrisseaux, sous forme de boutures herbacées en début d'été, de boutures semi-ligneuses en fin d'été. Renouvelez les semis en petites quantités de coriandre, cerfeuil et autres bonnes herbes cueillies sous forme de jeunes feuilles.

• ***Rempotage, plantation :*** rempotez encore avant la mi-été les plantes aromatiques qui ont pris beaucoup d'ampleur et sont manifestement à l'étroit dans leur pot ou trop envahissantes dans une jardinière.

Vous pouvez encore planter en début d'été, mais arrosez copieusement, ne placez pas vos potées aussitôt en plein soleil et surveillez très régulièrement les besoins en eau.

• ***Désherbage, nettoyage :*** supprimez les mauvaises herbes qui apparaissent en surface des pots et bacs, et profitez-en pour aérer le mélange de culture avec une griffe à fleurs. Nettoyez les plantes des feuilles sèches, pousses cassées ou piétinées ; supprimez les pousses à feuillage uni sur les plantes à feuillage panaché.

Pensez à couper les inflorescences qui se forment sur les plantes dont vous souhaitez éviter la floraison, comme livèche, mélisse… Pour les autres, supprimez les fleurs fanées, ou laissez se former les graines si vous voulez les récolter.

• ***Arrosage :*** il demande des attentions quotidiennes en période chaude. Faites des arrosages copieux mais relativement espacés, en particulier aux aromates méditerranéens comme romarin, sauge. Pour ceux-ci en effet chaleur et sécheresse renforcent les arômes. Les plantes herbacées installées en plein soleil, ainsi que celles plantées dans des paniers suspendus peuvent cependant demander des arrosages quotidiens, 1 voire 2 fois par jour, en période de canicule.

Arrosez aux heures fraîches, matin ou soir, pour limiter les pertes d'eau par évaporation et ne pas risquer de brûler les feuillages en plein soleil. N'utilisez pas une eau froide, mais légèrement tiédie.

• ***Récolte des bonnes herbes :*** prélevez les herbes fraîches au fur et à mesure de vos besoins, mais pensez aussi aux récoltes à faire sécher ou à congeler. C'est en général juste avant la floraison que les aromates sont le plus parfumés aussi, choisissez ce moment pour les récolter et les préparer. Prévoyez les cueillettes pour les pots-pourris. Choisissez une belle journée, par temps sec, pour les faire.

Récoltez les graines des plantes que vous comptez ressemer la saison prochaine, par exemple fenouil, carvi. Laissez-les sécher, puis conservez-les dans des enveloppes en papier, dans un endroit sec.

• ***Avant votre départ en vacances***

Commencez par un nettoyage des touffes, en éliminant les fleurs qui seront fanées à votre retour, en rabattant certaines plantes pour assurer une repousse, en griffant le terreau pour l'aérer.

Déplacez si possible les potées et bacs les plus exposés au soleil brûlant. Le terreau sèchera moins vite à mi-ombre.

Si vous ne pouvez comptez sur un voisin ou ami serviable qui vienne arroser régulièrement le balcon ou la terrasse, prévoyez un système de réserve d'eau ou d'arrosage automatique.

Dans tous les cas, testez votre système avant votre départ pour vous assurer de son efficacité et évaluer, dans le cas d'une réserve d'eau, la durée d'arrosage assurée par cette réserve.

L'automne

Les jours raccourcissent, les nuits fraîchissent et annoncent les gelées. C'est la période des dernières cueillettes, de la rentrée des plantes fragiles, du nettoyage au balcon avant l'hiver.

Les travaux

• ***Dernières cueillettes :*** n'attendez pas l'arrivée du froid pour faire les dernières cueillettes, récolter encore des graines. Couvrez d'une cloche ou châssis les derniers pieds de persil et cerfeuil, vous les récolterez pendant quelques semaines encore.

• ***Multiplication :*** semez les bisannuelles en situation abritée et divisez les touffes de vivaces si nécessaire.

• ***Taille et nettoyage :*** en début d'automne, taillez à nouveau si nécessaire topiaires et haies basses.

Quand les gelées sont là, faites le « tri » dans les potées, bacs et jardinières : éliminez les annuelles, rempotez individuellement si besoin est les plantes à rentrer, nettoyez les touffes des vivaces et arbustes qui restent sur le balcon. Rabattez les tiges sèches des plantes vivaces herbacées.

Prévoyez les protections hivernales pour ces plantes.

Nettoyez pots et jardinières vides à l'eau javellisée, puis rincez et laissez sécher avant de les ranger pour l'hiver.

• ***Les plantes à rentrer :*** préparez la rentrée des plantes : ramenez-les dans un premier temps en situation plus abritée, puis enlevez les feuilles sèches, fleurs fanées, raccourcissez les tiges trop longues, vérifiez qu'elles ne portent pas parasites ou maladies.

Rentrez les pots si possible par temps sec et doux. N'hésitez pas à rentrer également les potées de plantes aromatiques que l'on peut encore utiliser dans la cuisine comme le basilic.

• ***Arrosage :*** diminuez progressivement les arrosages et cessez dès la fin de l'été tout apport d'engrais. Poursuivez cependant des arrosages modérés aux plantes demeurant sur la terrasse. En période de fortes pluies, pensez à vider régulièrement les soucoupes.

L'hiver

Froid et faible luminosité incitent les plantes du balcon et de la terrasse au repos végétatif, mais il faut encore penser à les arroser de temps à autre, à les protéger en période de grand froid… et à mettre l'hiver à profit pour rêver au jardin d'herbes de la prochaine saison !

Les travaux

• ***Entretien des plantes sous abri :*** arrosez parcimonieusement les plantes passant l'hiver sous abri, et ce d'autant moins que la situation est peu lumineuse. Un arrosage tous les 10-15 jours suffit généralement à température fraîche. Surveillez l'apparition de parasites éventuels. Ramassez et jetez les feuilles sèches.

• ***Des herbes dans la maison :*** pour en profiter en hiver encore, sacrifiez quelques pots (ou rempotez quelques éclats en automne) de menthe, thym, ciboulette, estragon. Rentrez-les dans la maison, si possible en situation fraîche et lumineuse, sinon même dans la cuisine et poursuivez les cueillettes tant que les plantes survivent en intérieur.

N'espérez cependant pas les replanter au balcon au printemps, les plantes seront trop étiolées.

• ***Arrosage :*** pensez à arroser de temps à autre, en période de temps doux et sec ou si les pots ne reçoivent pas la pluie, les plantes qui passent l'hiver au balcon.

• ***Protection contre le froid :*** protégez vos potées de plantes aromatiques et médicinales en période de grand froid. Isolez-les du sol dans la mesure du possible, en les surélevant sur des cales de bois. Protégez les touffes basses par des matelas de feuilles sèches ou des branchages de conifères.

Abritez les arbustes appuyés contre un mur avec des canisses ou tendez un voile non tissé (de type voile d'hivernage). De même, enveloppez d'un voile ou de plastique à bulles les arbustes dressés, isolés.

Dégagez les protections dès que le temps se radoucit.

• ***Préparer le printemps :*** prévoyez vos semis et plantations de la saison prochaine, les nouveaux aménagements sur le balcon ou la terrasse. Feuilletez les catalogues, et même passez commande, pour vous procurer des variétés moins courantes.

Comment composer un jardin d'herbes sur le balcon ou la terrasse

Même si elles offrent une dominante de feuillages, les bonnes herbes n'ont pas besoin d'être reléguées dans un coin discret du balcon. Mariez les feuillages, jouez avec les silhouettes, des touffes basses aux arbustes, pour composer bacs ou jardinières décoratifs, ou alignez les pots pour un décor gourmand. Rien ne vous empêche non plus d'associer aux bonnes herbes des floraisons saisonnières, en glissant quelques bulbes pour le printemps dans un bac planté d'arbustes aromatiques, en associant dans une jardinière, annuelles fleuries et annuelles aromatiques…

Tisanes en jardinières

Quoi de plus agréable que de cueillir quelques brins pour la tisane du soir ou de faire sécher quelques bouquets pour les tisanes de l'hiver.

Dans une jardinière en situation plutôt fraîche, à mi-ombre, associez pour vos tisanes menthe et mélisse, toutes deux envahissantes et à canaliser, pulmonaire, verveine officinale.

Pour une situation ensoleillée, dans un terreau bien drainé, associez les saveurs des romarin, thym, camomille romaine, verveine-citronnelle, marjolaine et hysope.

La manie des collections

Comme d'autres catégories de végétaux, les plantes aromatiques offrent des possibilités de composer des collections en pots sur le balcon, en choisissant pour thème une plante existant sous forme de nombreuses variétés décoratives et aromatiques.

C'est le cas du basilic qui offre des variantes à petites et grandes feuilles, à feuilles frisées, à feuilles pourpres, et toute une gamme de saveurs également. Alignez les pots en situation bien ensoleillée.

Pour les situations sèches et ensoleillées, adoptez les thyms qui offrent une impressionnante palette, avec des dizaines, voire des centaines, d'espèces, hybrides et cultivars, des classiques serpolet et thym-citron aux espèces rares, des cultivars panachés aux floraisons éclatantes. Leur parfum varie en intensité comme en qualité, à vous de tester ! Qui plus est, le thym se prête à merveille à la culture en pots !

La sauge offre quant à elle de nombreuses possibilités, avec des espèces se prêtant à la culture en pots pour l'été, mais aussi avec une belle palette de variétés à feuillage coloré pour la seule sauge officinale : feuillage gris-vert et floraison blanche ou violette, feuillage à reflets pourpres, feuillage panaché de blanc et rose pour 'Tricolor', d'or pour 'Aurea'...

La menthe permet aussi la diversité. Groupez les pots en situation fraîche, à mi-ombre. Outre les classiques menthe verte et menthe poivrée, recherchez la petite menthe de Corse, tapissante et parfumée, la menthe-gingembre, la menthe eau-de-Cologne au parfum légèrement citronné, la menthe-ananas à feuillage panaché...

Les géraniums odorants, à rentrer à l'abri pour l'hiver, ont déjà fait de nombreux adeptes, aussi décoratifs que parfumés. Certains horticulteurs spécialisés proposent des dizaines d'espèces et variétés différentes !

Des aromates pour la cuisine

Consacrez au moins une petite jardinière aux quelques aromates indispensables pour la cuisine. Il vous suffit d'un simple appui de fenêtre pour accueillir quelques herbes. Si l'exposition du balcon le permet, composez 2 jardinières complémentaires de saveurs, espèces de soleil et espèces qui préfèrent plus de fraîcheur.

• ***Jardinière en situation fraîche, légèrement ombragée :*** ciboulette, estragon, persil, cerfeuil, livèche… et menthe isolée dans un pot.

• ***Jardinière en situation chaude et ensoleillée :*** thym, sarriette, romarin, sauge, origan… fenouil et laurier pourront les accompagner dans un bac un peu plus grand.

Une jardinière colorée

Nombre d'herbes aromatiques ou médicinales offrent une floraison colorée intéressante. Pensez à les utiliser pour donner plus d'éclat à vos plantations consacrées aux bonnes herbes.

En situation chaude et ensoleillée, découvrez la floraison bleue de l'hysope, du bleuet ou de la bourrache, l'orangé chaud du souci, les pompons de la camomille.

En situation moins brûlante, accueillez les capucines jaunes à orangées, la floraison précoce de la pulmonaire ou le rose violacé de la sauge sclarée, et ne méprisez pas les têtes rondes, rose-mauve, de la ciboulette.

Collection de géraniums

Tirez parti de la diversité des géraniums pour composer une association aussi parfumée que colorée dans un grand bac ou jardinière, en situation ensoleillée.

Mariez géraniums à feuillage odorant et classiques géraniums lierre ou géraniums zonales. Outre les floraisons colorées des géraniums classiques, sélectionnez quelques feuillages odorants remarquables comme celui velouté, soutenu de *Pelargonium tomentosum* au parfum de menthe poivrée, celui panaché, finement découpé et crispé de *Pelargonium crispum* 'Variegatum', au parfum citronné, ou celui découpé, vert vif, du vigoureux géranium rosat, *Pelargonium graveolens*, mêlant la rose et le citron.

Des notes colorées en complément

Qu'il s'agisse d'habiller le pied d'un laurier en bac ou d'égayer une jardinière de feuillages aromatiques, pensez à faire appel aux plants fleuris ou aux bulbes pour un décor facile et quasi instantané.

- ***Petits bulbes pour le printemps :*** pour garnir un bac ou une jardinière passant l'hiver sur le balcon ou la terrasse, plantez en automne quelques petits bulbes à floraison printanière comme crocus, petits narcisses, muscaris ou même tulipes.

Pour le printemps encore, faites appel aux pensées, myosotis ou pâquerettes.

- ***Pour le décor estival :*** achetez quelques plants fleuris : verveine, anthémis, félicia, œillet d'Inde ou géranium des balcons pour une situation ensoleillée ; impatiens, lobélia, mimulus pour la mi-ombre.

Un décor durable au fil des saisons

Sur un grand balcon ou une terrasse, par exemple équipée de jardinières intégrées, tirez parti des espèces arbustives à feuillage persistant pour composer l'infrastructure de plantations aromatiques permanentes, qui seront complétées selon les saisons par des annuelles, bulbes ou autres.

Donnez ainsi un air de Méditerranée au balcon ou à la terrasse en choisissant comme plantes dominantes laurier-sauce au feuillage sombre, persistant, sauge officinale (variété pourpre par exemple pour les contrastes de teintes), lavande, romarin à port prostré ou dressé, armoise au feuillage gris, fenouil bronze aux plumets légers. Plantez en bordure diverses variétés de thym. Complétez ce décor en été par des soucis, tagètes, bidens et autres floraisons jaunes glissées ici et là, sans oublier un ou plusieurs plants de basilic.

Une terrasse à l'ombre

Terrasse ou balcon à l'ombre ne vous interdisent nullement la culture des herbes aromatiques. Il vous suffit de sélectionner les espèces qui préfèrent la fraîcheur. Certaines plantes de soleil supportent aussi la mi-ombre, même si elles y sont plus éphémères et moins parfumées qu'au soleil.

- ***Sélection d'herbes pour l'ombre ou la mi-ombre :*** ciboulette, estragon, bourrache, cerfeuil, persil, oseille, pimprenelle, pulmonaire, livèche, mélisse, menthe, aneth et même coriandre.
- ***Celles qui s'adaptent :*** laurier-sauce, romarin, marjolaine.

Une palette de feuillages colorés

Jouez avec les différentes teintes de feuillage des plantes aromatiques et médicinales :

- ***feuillage gris et argenté :*** armoise, lavande, marrube, immortelle, santoline, sauge officinale, thym (variétés argentées) ;
- ***feuillage doré :*** mélisse (variété dorée), origan doré, thyms à feuillage doré ou panaché d'or, houblon doré ;
- ***feuillage bronze ou pourpre :*** bugle rampante 'Burgundy Glow', arroche rouge, fenouil bronze, basilic pourpre, sauge officinale variété pourpre ('Purpurascens') ;
- ***feuillage panaché :*** bugle rampante (variété 'Multicolor'), menthes panachées, géraniums odorants à feuillage panaché, sauge officinale ('Tricolor'), capucine à feuillage panaché, thyms panachés.

Les bonnes herbes

de A à Z

Agastache

Hysope anisée, agastache-fenouil

Agastache foeniculum

Cette plante vivace nord-américaine, très aromatique, était utilisée par les Indiens pour ses vertus médicinales. Elle forme de larges touffes de près de 1 m de hauteur en pleine terre, généralement moins en pot. Ses feuilles dentées ressemblent à celles de la menthe, avec un parfum anisé marqué. Les tiges portent en été de nombreux épis terminaux denses, pourprés. 'Alabaster' est une variété à floraison blanche.

Les feuilles présentent sous forme d'infusion des propriétés antiseptiques. Leur goût anisé est précieux en infusion comme dans les pots-pourris. Les abeilles sont friandes des fleurs d'agastache, qui communiquent au miel un léger parfum anisé.

Exposition : de préférence en situation chaude et ensoleillée, mais supporte une ombre légère.

Plantation : plantez l'agastache dans un grand pot ou en compagnie d'autres plantes dans un grand bac ou une jardinière intégrée sur la terrasse. Elle demande un mélange de culture assez riche, si possible donc de la bonne terre de jardin. Mettez-la en place au printemps ou en début d'automne.

Arrosage et engrais : arrosez régulièrement au fil des saisons, de façon à maintenir le terreau légèrement humide en permanence (sans excès cependant). 2 ou 3 apports d'engrais liquide faiblement dosé, dans l'été, suffisent, ou bien 1 apport annuel de compost.

Autres soins : protégez-la des fortes gelées. Rabattez les touffes à la base en fin d'automne.

Maladies et parasites : l'oïdium peut se déclarer lors d'un été chaud, en cas d'arrosages irréguliers.

Multiplication : facile par division des touffes au printemps.

Récolte et séchage : cueillez jeunes les feuilles que vous souhaitez utiliser fraîches, elles sont plus parfumées. Pour le séchage à l'air, cueillez de jeunes pousses feuillues ou des tiges en début de floraison et liez-les en petits bouquets. Faites-les sécher rapidement en situation chaude, obscure et bien ventilée.

Utilisation : préparez des infusions de feuilles fraîches ou séchées, au goût anisé. Cette infusion soulage notamment la toux. Ajoutez les feuilles séchées dans un pot-pourri, pour une note anisée toujours.

Aloès

Aloe vera

Cette plante vivace aux feuilles succulentes, c'est-à-dire servant d'organes de réserve d'eau à la plante, est courante dans les zones tropicales et subtropicales du globe. Elle forme des rosettes d'environ 50-60 cm de largeur et hauteur, composées de longues feuilles épaisses, persistantes, à bord denté et épineux, d'un vert souvent marqué de blanc. Elle fleurit à maturité en longues grappes jaunes ou orangées portées par de longues hampes. Non rustique sous nos climats, l'aloès se prête très bien à la culture en pots, que vous rentrerez en automne dans la véranda ou dans la maison.

Utilisé depuis l'Antiquité pour ses vertus médicinales, l'aloès fut introduit en Europe dès le Xe siècle. On l'utilise toujours, aussi bien sa pulpe gélatineuse aux propriétés cicatrisantes, que sa sève qui entre dans la composition de nombreuses crèmes solaires, lotions et crèmes hydratantes, shampoings et savons liquides.

Exposition : une situation chaude et ensoleillée, à l'abri du gel en hiver, est indispensable à l'aloès.

Plantation : préférez le cultiver seul dans un pot rempli de terreau léger, très drainant, de type terreau pour cactées et plantes grasses, ou encore un mélange « maison » composé pour moitié de bonne terre de jardin et moitié de sable grossier ou perlite.

Arrosage et engrais : cette plante grasse ne demande pas d'arrosages copieux. Attendez toujours pour arroser que le terreau soit sec sur plusieurs centimètres au moins (enfoncez au besoin un doigt dans le terreau pour tester l'humidité). En règle générale, 1 à 2 arrosages par semaine en été, 1 au printemps et en automne, 1 tous les 10-15 jours en hiver, suffisent. Dans l'été, donnez-lui 1 fois par mois de l'engrais pour cactées et plantes grasses.

Autres soins : rentrez-le en automne en situation aussi lumineuse que possible, à 5-7 °C minimum. Une pièce normalement chauffée lui convient également.

Maladies et parasites : cochenilles à surveiller.

Multiplication : semis au chaud de graines fraîches, ou bien division au printemps des rejets qui se forment à la base de la rosette de feuilles.

Récolte et séchage : pas de séchage possible pour l'aloès, car pulpe des feuilles ou sève sont utilisées fraîches.

Utilisation : entaillez ou coupez une feuille pour appliquer le suc cicatrisant sur les petites brûlures ou coupures, sur les coups de soleil ou les peaux irritées.

Amaranthe

Amaranthe réfléchie

Amaranthus retroflexus

Cette plante annuelle est proche des espèces décoratives d'amaranthes, comme l'amaranthe-queue-de-renard. Introduite d'Amérique où elle était consommée depuis longtemps par les Indiens, sa culture fut tentée en Europe pour ses feuilles comestibles, puis rapidement abandonnée, reléguant la plante au rang de « mauvaise herbe » dans les jardins et les friches. Elle forme une touffe de tiges dressées, rougeâtres, de 50-90 cm de hauteur, à feuilles ovales, vert clair, et floraison estivale en épis denses, verdâtres.

Facile à cultiver de semis, l'amaranthe est intéressante pour ses feuilles aux propriétés astringentes et adoucissantes, à consommer crues ou cuites, de même que les jeunes pousses. Les graines peuvent être utilisées comme une céréale. On trouve une autre amaranthe comestible, l'amaranthe de Chine ou Hinshoï, à larges feuilles utilisées également crues ou cuites.

Exposition : situation ensoleillée.
Semis : semez les graines en avril-mai, dans une jardinière assez large et profonde, remplie de terreau ordinaire. Éclaircissez ensuite les plants à 12-15 cm de distance (ajoutez les plants éclaircis dans une salade !).
Arrosage et engrais : arrosez régulièrement pour éviter le dessèchement du terreau, mais attendez que celui-ci soit sec sur quelques centimètres pour arroser à nouveau. Inutile d'apporter de l'engrais à cette plante qui se contente d'un sol pauvre.
Autres soins : supprimez les premières inflorescences qui se forment pour favoriser le développement des feuilles.
Maladies et parasites : rares.
Multiplication : par semis des graines récoltées à maturité, puis séchées et conservées jusqu'au printemps suivant.
Récolte et séchage : cueillez les feuilles, jeunes de préférence, au fur et à mesure des besoins, de même que les extrémités des tiges. Récoltez les graines noires à maturité, quand elles sont prêtes à tomber.
Utilisation : hachez les feuilles et pousses dans des salades, ou bien faites-les cuire comme des épinards. Essayez les graines fraîches, grillées et moulues, puis incorporées dans des bouillies ou galettes de céréales.

Aneth

Fenouil bâtard, faux-anis

Anethum graveolens

Souvent confondu avec le fenouil, l'aneth est une plante annuelle à silhouette élégante et légère, particulièrement intéressante sur le balcon ou la terrasse pour composer des associations de feuillages décoratifs. Il atteint 50-70 cm de hauteur, avec un feuillage vert bleuté fin et plumeux comme celui du fenouil, à saveur fraîche, légèrement anisée. L'aneth fleurit en été, en ombelles légères de minuscules fleurs jaunes, suivies de petites graines brunes, striées.

Cette plante aromatique et médicinale, originaire du sud de l'Europe où elle est utilisée depuis l'Antiquité, et d'Asie, est aujourd'hui largement cultivée dans les jardins. L'aneth était réputée au Moyen Âge pour éloigner sortilèges et esprits malfaisants.

Feuilles et graines sont utilisées dans la cuisine européenne comme asiatique pour parfumer les plats. Quant aux propriétés médicinales, l'aneth est calmante, rafraîchissante et facilite la digestion.

Exposition : situation chaude, ensoleillée et abritée de préférence.

Plantation : semez l'aneth en place, quelques graines dans un grand bac déjà planté d'autres aromates, ou bien dans une jardinière ou une grande coupe consacrée à cette seule plante. Vous pouvez aussi trouver en jardinerie au printemps des plants à repiquer, mais attention, ils supportent assez mal la transplantation. Semez ou plantez dans un terreau assez léger mais enrichi si possible en terre de jardin. Éclaircissez les semis pour ne conserver qu'un plant tous les 10-12 cm.

Arrosage et engrais : surveillez de près l'arrosage des semis, de façon à ce que le terreau soit légèrement humide en permanence. Par la suite, espacez les arrosages pour laisser le terreau sécher en surface entre 2 arrosages. Inutile de faire des apports d'engrais pour cette annuelle à croissance rapide, peu exigeante.

Autres soins : sur un balcon venté, tuteurez au besoin les tiges.
Maladies et parasites : parfois des pucerons.
Multiplication : par semis au printemps, à renouveler au besoin dans l'été.
Récolte et séchage : cueillez les jeunes feuilles au fur et à mesure des besoins pour les utiliser fraîches, car elles sèchent mal. Les graines à saveur piquante peuvent être récoltées encore vertes et jusqu'à maturité, avant qu'elles ne tombent.
Utilisation : les feuilles fraîches, moins piquantes que les graines, parfument agréablement les salades estivales, mais aussi les poissons (le saumon dans la cuisine scandinave). Les graines parfument également le poisson, le vinaigre, les pommes de terre, les conserves au vinaigre, les soupes et viandes en sauce, les curries de la cuisine indienne. Mâchées, les graines crues parfument l'haleine et facilitent la digestion, tandis qu'une infusion de feuilles et graines a des vertus calmantes et favorise l'endormissement.

Angélique

Angelica archangelica

Un peu encombrante sur un petit balcon, la grande angélique trouve pourtant bien sa place sur une grande terrasse, plante majestueuse et sculpturale parmi des plantations plus basses.
C'est une grande plante bisannuelle ou vivace, dont les hautes tiges cannelées peuvent dépasser 2 m de hauteur. En bac, elle dépasse cependant rarement 1 à 1,50 m. Elle porte de grandes

feuilles divisées vert tendre et dès le début d'été de grandes ombelles de petites fleurs généralement vertes, riches en nectar et agréablement parfumées. Elle fleurit la deuxième ou troisième année, puis les tiges meurent. Aux fleurs succèdent de petites graines plates.

Outre sa silhouette décorative, l'angélique est une plante médicinale aux propriétés anti-inflammatoires, qui apaise rhumes, troubles digestifs et rhumatismes. Très parfumée, elle est par ailleurs utilisée en pâtisserie et pour aromatiser des liqueurs.

Exposition : ombre ou mi-ombre, soleil si le terreau demeure frais en permanence.

Plantation : au printemps, repiquez un ou plusieurs jeunes plants issus de semis ou mettez en place un plant acheté, en plantant dans un grand bac rempli si possible de bonne terre de jardin.

Arrosage et engrais : arrosez très régulièrement, de façon à maintenir le terreau légèrement humide en permanence, en évitant cependant toute humidité stagnante. Faites 3 apports d'engrais liquide ordinaire entre juin et août.

Autres soins : pour éviter que la plante ne meurt après formation des graines, coupez les inflorescences fanées avant que les graines ne se forment (mais cela vous prive des graines…).

Maladies et parasites : oïdium en cas d'arrosages irréguliers en été.

Multiplication : par semis au printemps.

Récolte et séchage : récoltez feuilles et tiges à confire avant la floraison, en choisissant des feuilles assez jeunes, bien parfumées. Prélevez les graines à maturité, quand elles brunissent. On peut également utiliser les jeunes racines, arrachées le premier automne de la culture, pour les confire. Faites sécher à l'air feuilles et graines destinées aux pots-pourris.

Utilisation : ajoutez quelques jeunes feuilles à une compote de pommes et rhubarbe, qu'elles parfumeront agréablement. Les graines servent à aromatiser certaines boissons comme liqueur de chartreuse et gin. Les jeunes tiges confites dans un sirop de sucre sont bien sûr utilisées en pâtisserie. Elles peuvent aussi parfumer les confitures.

Anis vert

Pimpinella anisum

Cette plante aromatique d'origine méditerranéenne est une annuelle de 30 à 50 cm de hauteur, qui forme une touffe aux tiges grêles, à feuilles inférieures arrondies et dentées, feuilles supérieures plus fines, découpées et divisées, vert clair. Elle fleurit à partir de la mi-été en petites ombelles de minuscules fleurs crème, suivies de petites graines cannelées brunes.
C'est une plante aux vertus digestives et antiseptiques, qui calme la toux et les maux de tête. Dans l'Antiquité, les Romains tiraient parti de ses propriétés digestives à la fin de leurs banquets.

Les graines très aromatiques, au parfum anisé, agrémentent de nombreux apéritifs comme l'ouzo grec ou l'arak, et bien sûr anisette et pastis, mais aussi desserts ou curries.

Exposition : situation chaude et ensoleillée.

Semis : semez en place en fin de printemps (ou un peu plus tôt dans la maison), dans une coupe ou jardinière remplie de terreau léger, drainant, enrichi en sable grossier. Éclaircissez le semis pour ne conserver qu'un plant tous les 15-20 cm. Évitez le repiquage, délicat.

Arrosage et engrais : arrosez régulièrement les jeunes plants, mais espacez ensuite les arrosages pour cette plante qui résiste assez bien à la sécheresse (sans pour autant laisser le terreau sécher en profondeur !). Inutile de faire des apports d'engrais.

Autres soins : il faut beaucoup de chaleur aux graines pour parvenir à maturité.

Maladies et parasites : rares.

Multiplication : par semis au printemps.

Récolte et séchage : cueillez les jeunes feuilles au fur et à mesure des besoins, pour les utiliser fraîches. Quand les graines commencent à brunir, coupez les ombelles et suspendez-les tête en bas, en situation abritée et ensoleillée, pour qu'elles terminent leur maturation. Recueillez les graines sur une mousseline posée dessous.

Utilisation : agrémentez vos salades de quelques jeunes feuilles parfumées et incorporez également jeunes feuilles et jeunes pousses dans vos soupes ou plats de légumes, toujours pour un arôme anisé. Essayez aussi les feuilles avec le fromage blanc salé et poivré. Quant aux graines, elles apportent une note agréable ajoutées aux poissons, aux sauces, comme aux gâteaux, voire aux salades de fruits. La tisane de feuilles ou graines est très parfumée également.

Armoise aurone

Citronnelle

Artemisia abronatum

Native du sud de l'Europe, cette plante est un sous-arbrisseau à feuillage semi-persistant, c'est-à-dire qui garde ses feuilles les hivers doux. Elle peut atteindre jusqu'à 1 m de hauteur, avec un joli feuillage gris-vert plumeux, finement divisé, et porte en été (lorsque l'été est chaud !) de petites fleurs jaunes comme de minuscules immortelles. Le feuillage très aromatique dégage une forte odeur citronnée.

Son parfum fort était apprécié par les croisés, capable croyaient-ils, de tenir la peste à distance. Elle fut ensuite très utilisée pour ses propriétés insecticides, vermifuges et antiseptiques.

Il en existe d'autres espèces proches, aromatiques, utilisées notamment pour parfumer bières ou liqueurs comme la célèbre absinthe, Artemisia absinthium. *L'estragon,* Artemisia dracunculus, *fait également partie du genre des armoises.*

Associée au jardin ou sur la terrasse aux rosiers, cette armoise éloigne les pucerons.

Exposition : abritée et ensoleillée.

Plantation : plantez cette armoise de préférence au printemps, dans un terreau ordinaire léger et drainant, ou une bonne terre de jardin additionnée de sable grossier ou perlite. Associez-la, par exemple, à d'autres arbustes méditerranéens comme sauge et romarin, dans un grand bac ou une jardinière intégrée.

***Arrosage et engrais* :** des arrosages modérés suffisent pour cet arbrisseau bien adapté à la sécheresse. Attendez pour arroser que le terreau soit sec sur quelques centimètres au moins. Apportez au printemps un paillis organique ou un engrais organique complet.

Autres soins : taillez-la au printemps pour conserver un port compact. Profitez-en pour supprimer les tiges faibles ou qui ont souffert du froid en hiver.

Maladies et parasites : rares.

Multiplication : par bouturage au printemps ou marcottage en automne d'une pousse basse.

Récolte et séchage : cueillez les jeunes pousses, pour les utiliser fraîches ou les faire sécher, avant la mi-été. Des pousses coupées tard en saison stimulent une repousse de feuilles qui ne supporteraient pas le froid de l'hiver. Suspendez les tiges feuillues dans un endroit chaud, sec, sombre et bien aéré pour les sécher rapidement.

Utilisation : utilisez les feuilles séchées dans des sachets à la fois antimites et parfumés. Incorporez-les également dans vos pots-pourris ou encore glissées dans des taies d'oreiller pour favoriser le sommeil. La tisane préparée avec les feuilles est stimulante et digestive.

Aspérule odorante

Petit muguet

Galium odoratum

Cette petite plante vivace des sous-bois de nos forêts d'Europe était déjà utilisée au Moyen Âge pour composer des « jonchées » de fleurs et feuillages odorants, aux propriétés insecticides et « désodorisantes » !

Issue d'un rhizome rampant, elle forme une jolie touffe de 30-40 cm de hauteur, aux tiges dressées portant des verticilles de feuilles elliptiques, couronnés en fin de printemps et début d'été de fleurs blanches étoilées, parfumées. Les feuilles sont également odorantes, d'autant plus une fois séchées, car elles dégagent de la coumarine, substance au parfum de foin frais.

Le petit muguet, utilisé en Allemagne pour parfumer le « vin de mai », est également utilisé en tisane pour ses propriétés calmantes, diurétiques et rafraîchissantes.

Le gaillet vrai, Galium verum, *est une espèce proche dont la floraison jaune offre un parfum de miel, renfermant également de la coumarine, qui servait autrefois à garnir des matelas comme à cailler le lait et colorer les fromages.*

Exposition : situation fraîche, mi-ombragée ou ombragée pour cette plante de sous-bois.

Plantation : plantez l'aspérule odorante au printemps, par exemple dans une grande jardinière avec d'autres plantes d'ombre, de préférence dans une bonne terre de jardin humifère, ou un terreau enrichi en compost de jardin.

Arrosage et engrais : maintenez la terre ou le terreau frais par des arrosages réguliers, en été surtout. Faites au printemps un apport de compost de jardin ou d'engrais organique.

Maladies et parasites : rares.

Multiplication : par division du rhizome, au printemps ou en début d'automne.

Récolte et séchage : coupez les tiges en début de floraison pour le séchage. Liez-les en petits bouquets que vous suspendrez tête en bas pour le séchage dans un local sombre et bien ventilé.

Utilisation : comme son parfum s'intensifie au séchage, l'aspérule est un ingrédient précieux pour les pots-pourris, mais aussi les sachets d'herbes parfumées à glisser dans le linge des armoires pour éloigner les mites.

La tisane de feuilles est un sédatif léger qui stimule le foie et se révèle diurétique. Vous pouvez également tester les propriétés anticoagulantes des feuilles fraîches appliquées sur de petites plaies ou coupures.

Balsamite

Menthe-coq

Tanacetum balsamita

Cette plante vivace rhizomateuse, dont les tiges feuillues atteignent 50 à 80 cm de hauteur, est certes moins décorative que d'autres espèces de tanaisie utilisées au jardin d'herbes, comme tanaisie commune et grande camomille, mais elle offre un agréable parfum mentholé, de jeunes feuilles à utiliser crues ou cuites, tandis que les feuilles sèches parfument le linge. Cette plante a également servi autrefois à aromatiser la bière, avant l'utilisation du houblon.
Les tiges s'allongent en été pour porter de très petites fleurs de marguerite, blanches à cœur doré.
Il en existe une variété à odeur nettement camphrée, efficace pour éloigner les insectes.

Exposition : situation dégagée et ensoleillée, ou ombre légère.
Plantation : plantez la balsamite seule dans un grand pot ou associée à d'autres bonnes herbes dans une jardinière intégrée ou un grand bac, dans une bonne terre de jardin bien drainée ou dans du terreau de rempotage ordinaire.
Arrosage et engrais : arrosez régulièrement mais sans excès cette plante qui ne craint guère la sécheresse. Attendez que le terreau sèche sur quelques centimètres entre les arrosages. Faites 1 apport de compost ou engrais organique au printemps pour la saison. À défaut, faites 2 ou 3 apports d'engrais liquide faiblement dosé entre printemps et début d'été.

Autres soins : rabattez les tiges sèches à la base en fin d'automne.

Maladies et parasites : rares.

Multiplication : par division des racines rhizomateuses, ou bouturage des pousses au printemps.

Récolte et séchage : cueillez les jeunes feuilles au fur et à mesure des besoins. Pour le séchage, récoltez les feuilles basales, plus développées, une à une, avant la floraison ou en début de floraison. Faites-les sécher à plat sur des mousselines ou des clayettes.

Utilisation : ajoutez quelques feuilles fraîches dans une salade verte pour une saveur mentholée. On peut également les utiliser cuites dans les soupes ou les sauces pour le gibier.

Appliquez les feuilles fraîches pour soulager les piqûres d'insectes ou brûlures.

La tisane de feuilles fraîches ou séchées a un agréable parfum de menthe, soulage rhumes et douleurs d'estomac. Enfin, les feuilles séchées sont de précieux éléments à ajouter aux pots-pourris ou sachets d'herbes aux vertus insecticides.

Basilic

Pistou

Ocimum basilicum

Indispensable plante aromatique de l'été, le basilic peut se contenter d'un pot sur un appui de fenêtre ensoleillé comme faire l'objet d'une culture en bac avec d'autres aromates de soleil, sur le balcon ou la terrasse.

C'est une annuelle ou une vivace éphémère, cultivée sous nos climats comme une annuelle, car non rustique. Elle forme des touffes de tiges quadrangulaires dressées, aux feuilles ovales finement dentées, vert vif, très parfumées dès qu'on les effleure. Les tiges sont couronnées en été d'inflorescences aux petites fleurs blanches ou mauves.

Collectionnez ou faites votre choix parmi toute une gamme de variétés, à feuilles petites à grandes, gaufrées ou lisses, vertes ou pourpres ('Dark Opal', 'Moulin Rouge'), au parfum d'anis, de cannelle ou de citron… Choisissez une variété à petites feuilles, compacte, si vous ne pouvez vous autoriser qu'un petit pot sur l'appui de fenêtre. Prévoyez sinon au moins un pied de basilic à grandes feuilles, très parfumé, pour relever les salades, les plats de pâtes, les légumes d'été…

Outre son intérêt culinaire, le basilic a des vertus toniques, antidépressives et antiseptiques.

Exposition : plein soleil indispensable pour que le basilic libère ses arômes.

Plantation : plantez après les gelées, entre milieu et fin de printemps, des plants achetés ou bien obtenus de semis au chaud réalisé en février-mars dans la maison. Utilisez un terreau de rempotage ordinaire ou, mieux, une terre de jardin bien drainée, plus riche.

Arrosage et engrais : arrosez régulièrement les jeunes plants pour assurer une bonne reprise. Attendez pour arroser que le terreau sèche en surface, mais surveillez le basilic cultivé dans un petit pot, car il sèche vite (ses feuilles s'affaissent). Si le basilic est cultivé dans de la terre de jardin, inutile d'ajouter de l'engrais. Si, par contre, il pousse dans un terreau ordinaire, apportez toutes les 3-4 semaines de l'engrais liquide dilué de moitié.

Autres soins : pincez les jeunes pousses pour que la plante buissonne, puis supprimez les inflorescences quand elles se forment, afin qu'elles ne nuisent pas au développement des feuilles. Éliminez les pieds de basilic quand les tiges noircissent aux premières nuits froides, ou bien rentrez-en un pot dans la maison dès septembre.

Maladies et parasites : parfois des mouches blanches.

Multiplication : par semis en fin d'hiver ou printemps, au chaud pour pouvoir récolter les feuilles dès le début de l'été.

Récolte et séchage : séchées, les feuilles perdent beaucoup de leur arôme. Préférez les utiliser fraîches, ou les congeler vers la fin de la saison (par exemple, hachées, en glaçons). Récoltez les feuilles fraîches une à une ou par pousses, au fur et à mesure des besoins.

Utilisation : en pot sur l'appui de fenêtre, le basilic a la réputation d'éloigner mouches et moustiques. Appliquez les feuilles fraîches sur la peau pour calmer les piqûres d'insectes.

Essayez l'infusion de feuilles fraîches pour soulager le rhume, les digestions difficiles. Et, bien sûr, hachez les feuilles fraîches dans vos salades d'été, avec les tomates en particulier.

Ajoutez aussi ces feuilles fraîches aux plats de pâtes, gratins de légumes, soupes, pizzas, mais au moment de servir car elles perdent l'essentiel de leur goût à la cuisson.

Bleuet

Barbeau

Centaurea cyanus

Fleur champêtre s'il en est, le bleuet est une annuelle rustique de culture très facile, qui égaiera balcon ou terrasse de ses grands capitules d'un bleu lumineux, sur des tiges lâches, aux longues feuilles fines, de 50-70 cm de hauteur. Il en existe aussi des variétés horticoles à fleurs blanches ou roses.
Le pigment bleu des fleurs fut un temps utilisé pour colorer l'encre et la peinture. Les fleurs ont des propriétés antiseptiques surtout appliquées sous forme de lotions pour les yeux.
Consacrez-lui une coupe ou jardinière, ou semez quelques graines de bleuet dans un grand bac à dominante de feuillages aromatiques, pour une note colorée en été.

Exposition : soleil ou ombre légère.

Semis : préférez le semis en place au printemps, le plus simple et le plus approprié pour cette plante qui supporte mal repiquage ou transplantation. Semez clair dans une coupe ou jardinière (ou éparpillez les graines çà et là parmi d'autres plantes), remplie de terreau de rempotage ordinaire ou de terre de jardin légère et bien drainée. Éclaircissez les plants à 15-20 cm de distance.

Arrosage et engrais : arrosez régulièrement les jeunes plants. Le bleuet est ensuite assez résistant à la sécheresse, mais ne laissez pas le terreau sécher trop en profondeur. Inutile de faire des apports d'engrais, si ce n'est dans le cas d'une culture dans un terreau assez pauvre. Faites alors des apports d'engrais liquide faiblement dosé, toutes les 3 semaines.

Autres soins : arrachez les plantes dès que le froid les détruit.

Maladies et parasites : parfois oïdium.

Multiplication : par semis, en général au printemps, mais possible aussi en automne pour une floraison précoce au printemps.

Récolte et séchage : cueillez les fleurs en début d'épanouissement. Pour le séchage, cueillez-les dès que les premiers fleurons s'ouvrent, puis faites-les sécher étalées à plat sur une mousseline.

Utilisation : en usage externe, l'infusion de fleurs calme les yeux fatigués ou irrités. En usage interne, essayez-la pour faciliter la digestion. Ajoutez aussi quelques fleurs séchées de bleuet à vos pots-pourris pour une note colorée et une structure décorative.

Bourrache

Bourrache officinale, langue-de-vache

Borago officinalis

Cette annuelle qui pousse en Europe au pied des haies ou au bord des routes forme des touffes assez lâches de 50-60 cm de hauteur, aux tiges et feuilles velues, rugueuses. Elle offre en été des bouquets de petites fleurs étoilées, d'abord rosées, puis virant au bleu vif, visitées par les abeilles.

Outre la saveur légère, croquante, des jeunes feuilles et fleurs, qui rappelle le concombre, cette plante a des propriétés anti-inflammatoires et diurétiques. Sa consommation pourrait cependant entraîner chez certaines personnes sensibles des allergies. La bourrache fait dans certaines régions l'objet de culture à grande échelle pour l'huile de ses graines, utilisée dans l'industrie pharmaceutique et cosmétique.

Exposition : situation dégagée et ensoleillée, ou ombre légère.

Plantation : achetez un ou plusieurs jeunes plants à repiquer dans une grande jardinière ou une coupe large, ou bien, le plus simple, semez en place au printemps, dans un terreau ordinaire ou une bonne terre de jardin. Éclaircissez les jeunes plants à 25 cm de distance environ.

Arrosage et engrais : surveillez l'arrosage des semis comme des jeunes plants repiqués, très sensibles à la sécheresse. Une fois bien établis, les plants se contentent d'arrosages modérés, environ 2 fois par semaine en été, en laissant le terreau sécher sur 2-3 cm avant d'arroser. Inutile de lui donner de l'engrais.

Maladies et parasites : rares.

Multiplication : par semis, au printemps, ou même dès l'automne pour cette annuelle rustique.

Récolte et séchage : récoltez feuilles et fleurs fraîches, car elles n'ont plus guère d'intérêt une fois sèches, à part les fleurs qui peuvent être ajoutées aux pots-pourris. Choisissez les jeunes feuilles, à saveur plus douce, et cueillez les fleurs en début d'épanouissement.

Utilisation : hachez quelques jeunes feuilles dans une salade pour leur saveur croquante. Elles peuvent aussi relever un potage. De même, les fleurs comestibles peuvent décorer salade verte comme salade de fruits ou agrémenter les boissons fraîches. Vous pouvez aussi les confire dans du sucre, pour en décorer des gâteaux.

Bugle rampante

Ajuga reptans

Cette jolie petite plante vivace rhizomateuse, à feuillage persistant, qui ne dépasse guère 15-20 cm de haut mais s'étale lentement, constitue un précieux couvre-sol pour vos plantations d'herbes dans un grand bac ou une jardinière intégrée. Elle pousse à l'état sauvage dans les bois et prairies humides d'Europe. Elle forme des rosettes de feuilles ovales, vert vif, qui s'allongent lors de la floraison au printemps et en début d'été, en épis de fleurs bleu-violet. Il en existe aussi des variétés horticoles à feuillage panaché très décoratif, comme 'Multicolor', panaché de crème et rose.

Très utilisée autrefois comme calmant et pour traiter les maladies du foie, ainsi qu'en usage externe pour ses propriétés astringentes et analgésiques, elle ne l'est plus guère aujourd'hui.

Exposition : situation fraîche, légèrement ombragée.

Plantation : plantez la bugle au printemps ou en début d'automne, dans un bac ou une jardinière à mi-ombre, ou à l'ombre de plantes plus développées, dans un terreau frais, enrichi en terre de jardin ou compost, ou dans une bonne terre de jardin.

Arrosage et engrais : maintenez terre ou terreau frais en permanence par des arrosages réguliers, mais en évitant toute humidité stagnante. Faites un apport annuel de compost ou engrais organique.

Autres soins : rabattez au besoin les tiges défleuries.

Maladies et parasites : parfois oïdium, en cas d'alternance de périodes sèches et humides.

Multiplication : facile, par division des touffes au printemps ou en automne.

Récolte et utilisation : cueillez les jeunes pousses pour agrémenter les salades.

Buglosse officinale

Fausse bourrache

Anchusa officinalis

Cette plante vivace, indigène en Europe, forme des touffes lâches, jusqu'à 80 cm ou 1 m de hauteur et étalement, à racine tubérisée. Les petites feuilles linéaires, pointues, sont pubescentes. Elle offre en début d'été ses bouquets de petites fleurs tubulées bleu-violet, parfois rouges ou blanches. Celles-ci sont visitées par les abeilles.

Rarement cultivée, elle ne manque pourtant pas de charme, est de culture facile et offre de jeunes feuilles et fleurs à utiliser fraîches ou séchées.

La buglosse a des propriétés dépuratives et diurétiques, tandis qu'une espèce proche, Anchusa tinctoria *est une plante tinctoriale, dont la racine renferme un colorant rouge.*

Exposition : situation abritée et ensoleillée.

Plantation : plantez la buglosse au printemps, dans un pot assez profond, ou bien dans un grand bac avec d'autres plantes se plaisant au soleil, dans un terreau assez riche et frais, enrichi si possible en bonne terre de jardin.

Arrosage et engrais : maintenez le terreau légèrement humide en permanence. Faites 2 ou 3 apports d'engrais liquide dans l'été.

Autres soins : rabattez en fin d'automne les tiges fanées.

Maladies et parasites : oïdium en cas d'arrosages irréguliers.

Multiplication : semis ou bouturage des pousses basales au printemps.

Récolte et séchage : cueillez fleurs et jeunes feuilles au fur et à mesure pour les utiliser fraîches. Pour le séchage, coupez les tiges et liez-les en petits bouquets pour les sécher à l'air.

Utilisation : ajoutez fleurs et jeunes feuilles hachées aux salades pour les parfumer. Glissez quelques feuilles séchées dans les sachets parfumés, pour une note légèrement musquée.

Calament

Calamintha nepeta

Aromatique autant que décoratif, le calament est une plante vivace qui forme des touffes assez étalées, de 30-40 cm de hauteur, à tiges lâches, petites feuilles ovales dentées, vert vif. Ces tiges portent du début à la fin de l'été de nombreuses petites fleurs tubulées roses à mauves.

Calamintha grandiflora *est une espèce proche, aromatique également, à fleurs plus grandes, rose pourpré.*

Ces plantes mellifères au parfum mentholé étaient autrefois très utilisées pour soigner les troubles du cerveau. C. nepeta *a des propriétés expectorantes, toniques et digestives.*

Exposition : situation dégagée et ensoleillée.

Plantation : plantez le calament au printemps de préférence, dans une jardinière ou un grand bac rempli de terreau ordinaire ou de terre de jardin bien drainée, plutôt calcaire.

Arrosage et engrais : il ne craint pas la sécheresse, aussi arrosez modérément. Son feuillage est plus parfumé en conditions sèches ! Préférez faire un apport annuel d'engrais organique ou de compost de jardin, plutôt que des apports réguliers d'engrais liquide.

Autres soins : rabattez les tiges défleuries en automne. Pincez au besoin les jeunes touffes pour qu'elles buissonnent plus.

Maladies et parasites : parfois oïdium.

Multiplication : par division des touffes au printemps.

Récolte et séchage : pour une utilisation fraîche, cueillez jeunes feuilles et fleurs au fur et à mesure des besoins. Pour le séchage (à l'air, en petits bouquets), coupez les tiges en début de floraison.

Utilisation : ajoutez les jeunes feuilles et mêmes quelques fleurs, dans vos salades, pour une saveur mentholée. Feuilles et fleurs sont agréables en infusion, également à saveur de menthe.

➢ Appliquez quelques feuilles fraîches sur les égratignures.

Camomille romaine

Camomille odorante

Chamaemelum nobile

Cette petite plante vivace vigoureuse, à tiges étalées, atteignant jusqu'à 20-30 cm de hauteur, porte des feuilles plumeuses finement divisées, très aromatiques, au parfum de pomme. Elle offre en été ses petites fleurs de marguerite, blanches à cœur jaune. Originaire d'Europe, elle y pousse dans les prairies, souvent sur sols sablonneux.

Il en existe une variété à fleurs doubles, aux mêmes propriétés que l'espèce type, ainsi qu'une variété qui ne fleurit pas, 'Treneague', intéressante pour composer une jardinière de feuillage odorant au balcon ou constituer un couvre-sol dans une jardinière intégrée. Très utilisée depuis l'Antiquité pour ses propriétés médicinales, voire « magiques », pour éloigner les démons, la camomille au doux parfum était également plantée en tapis odorant. Elle est toujours précieuse pour ses propriétés médicinales, sédatives, digestives, mais aussi anti-inflammatoires et antiseptiques. La camomille jouerait en outre un rôle bénéfique vis-à-vis des plantes voisines au jardin, stimulant leur vigueur !

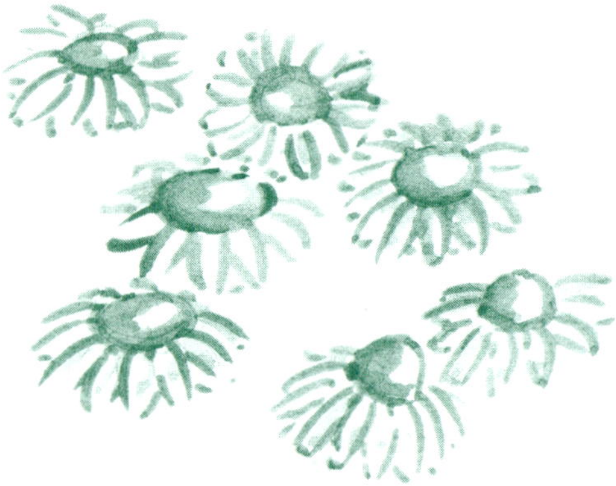

Exposition : situation dégagée et ensoleillée.

Plantation : plantez la camomille romaine au printemps ou en début d'automne, seule ou associée à d'autres plantes aromatiques de soleil, dans un terreau ordinaire ou toute terre de jardin bien drainée. Pour la réalisation d'un tapis avec la variété 'Treneague', espacez les pieds de 10-15 cm pour obtenir rapidement un couvre-sol dense.

Arrosage et engrais : arrosez modérément cette plante qui ne craint guère la sécheresse, environ 1 à 2 fois par semaine selon la saison et la température. Évitez les apports d'engrais, car la camomille se contente d'un sol pauvre.

Autres soins : divisez les touffes quand elles se dégarnissent au centre.

Maladies et parasites : rares.

Multiplication : division des touffes ou séparation de marcottes enracinées, au printemps.
Récolte et séchage : les fleurs sont utilisées fraîches ou séchées. Pour le séchage, cueillez-les (juste les fleurs ou les tiges) en début d'épanouissement et séchez-les à l'air, à plat ou liées en petits bouquets. Les feuilles séchées conservent partiellement leur parfum.
Utilisation : incorporez fleurs et feuilles séchées dans des pots-pourris ou sachets odorants.

La tisane de fleurs de camomille favorise le sommeil, apaise les cauchemars, soulage nausées et indigestions, douleurs dentaires des enfants. Utilisez ensuite les fleurs ayant infusé, après refroidissement, pour effacer les cernes !

La décoction de fleurs est également utilisée comme lotion éclaircissante pour les cheveux blonds.

Grande camomille
Matricaire officinale
Tanacetum parthenium

Vivace assez éphémère qui pousse dans le sud de l'Europe, généralement sur sol sec, rocailleux, la grande camomille, qui ne dépasse guère 50-60 cm de hauteur, est une plante au feuillage très aromatique, découpé, à floraison en petites marguerites blanches à cœur jaune, en début d'été.
Il en existe une variété à feuillage doré, très décorative.
Connue depuis l'Antiquité, la grande camomille a surtout été utilisée au fil des siècles pour soulager les maux de tête et faire baisser la fièvre.

Exposition : dégagée et ensoleillée.

Plantation : plantez la grande camomille au printemps, en potée ou dans un grand bac rempli de terreau ordinaire allégé de sable grossier, ou dans toute terre de jardin bien drainée, même sablonneuse.

Arrosage et engrais : arrosez modérément car cette plante ne craint guère la sécheresse. Surveillez cependant les arrosages en période de canicule estivale. Évitez les apports d'engrais. Préférez faire un apport annuel de compost.

Autres soins : rabattez les tiges sèches au ras du sol en fin d'automne.

Maladies et parasites : rares

Multiplication : par semis (elle se ressème souvent spontanément) ou division des touffes.

Récolte et séchage : feuilles et fleurs sont utilisées fraîches ou après séchage à l'air. Pour le séchage, coupez les tiges en début

de floraison et liez-les en petits bouquets pour les sécher dans un local sombre et sec.

Utilisation : essayez les infusions de fleurs pour soulager la migraine. Toujours contre les maux de tête, on peut aussi mâcher des feuilles fraîches, mais elles sont amères au goût, parfois irritantes pour les personnes sensibles. Les feuilles sont parfois utilisées aussi pour parfumer les liqueurs.

➢ Appliquez des feuilles fraîches sur les piqûres d'insectes pour soulager la douleur.

Capucine

Tropaeolum majus

Une floraison durable et colorée, des qualités méconnues de plante condimentaire, un semis si facile à réussir, font de la capucine un élément indispensable d'un balcon ou d'une terrasse accueillant des bonnes herbes. C'est une annuelle qui prend selon les variétés une forme grimpante ou rampante, avec des tiges jusqu'à 2-3 m de long, ou une forme naine, buissonnante, de 30-50 cm de hauteur et largeur. Même les enfants repèrent ses jolies feuilles rondes, d'un vert légèrement bleuté, ses fleurs à long éperon, jaunes à orangé écarlate. Il en existe des variétés à fleurs bicolores ou doubles, ou à feuillage panaché. Introduite au XVIe siècle en provenance d'Amérique du Sud, elle fut très vite adoptée par les jardiniers. Appelée aussi cresson d'Inde par allusion à la saveur poivrée des feuilles, elle fut un temps utilisée pour ses propriétés antiscorbutiques, car les feuilles sont riches en vitamine C. L'infusion de feuilles et fleurs, ou de graines, a des propriétés expectorantes et soulage la toux. Côté cuisine, la capucine offre ses feuilles, fleurs et boutons floraux comestibles, à saveur piquante.

Exposition : soleil ou mi-ombre, en évitant les expositions trop brûlantes où les capucines risquent de flétrir, ainsi que celles trop ventées pour les formes grimpantes.
Semis : pour une floraison dès la fin du printemps, semez dans la maison dès fin mars, 3 graines par godet, dans un terreau de semis ou un terreau de rempotage ordinaire, puis mettez les plants en place courant mai dans les jardinières. Vous pouvez aussi semer en place à partir de fin avril, en pot ou jardinière rempli de terreau ordinaire ou de terre de jardin.
Arrosage et engrais : des arrosages réguliers sont indispen-

sables car la capucine est sensible à la sécheresse. Arrosez copieusement en été, quotidiennement si nécessaire. Inutile d'apporter de l'engrais si les capucines sont cultivées dans de la terre de jardin. Si le terreau est pauvre, faites toutes les 3-4 semaines des apports d'engrais liquide dilué de moitié.

Autres soins : prévoyez un support pour guider les formes grimpantes, treillage ou trépied de tuteurs.

Maladies et parasites : pucerons, à éliminer absolument, sans quoi la plante est inutilisable. Supprimez aussitôt les pousses atteintes en début d'infestation. Si les colonies sont importantes, faites plusieurs traitements successifs avec un insecticide biologique, à base de roténone. Attendez 15 jours après le dernier traitement pour reprendre les cueillettes.

Multiplication : très facile, par semis. La capucine se ressème souvent spontanément dans les massifs.

Récolte : la capucine s'utilise fraîche, qu'il s'agisse des boutons floraux, fleurs, feuilles ou fruits. Choisissez de belles feuilles assez jeunes, fleurs et boutons floraux bien formés. Pour confire les fruits au vinaigre, cueillez-les jeunes, peu après la floraison, avant qu'ils ne brunissent.

Utilisation : ajoutez feuilles, boutons floraux et fleurs aux salades vertes de l'été, pour une agréable saveur poivrée et un effet coloré garanti. Faites confire les fruits au vinaigre, comme des câpres.

Carvi

Anis vert, cumin des prés

Carum carvi

Bisannuelle rustique, le carvi pousse à l'état sauvage dans les prairies d'Europe et de l'ouest asiatique. Il développe une racine pivotante épaisse, parfois consommée comme légume, un feuillage vert plumeux, aromatique, à saveur légèrement piquante. Il fleurit la seconde année de culture, en légères ombelles de minuscules fleurs blanches, suivies de petits fruits fins, bruns, appelés graines mais qui sont en fait constitués de 2 graines. Utilisé depuis des siècles en Europe comme plante condimentaire et médicinale, le carvi était notamment très utilisé au Moyen Âge, sous forme de ses graines, pour parfumer pains, gâteaux, viandes en sauce. Il est toujours très populaire en Europe centrale. Les graines présentent des propriétés digestives et vermifuges, et parfument l'haleine. Elle aromatisent des liqueurs. L'huile essentielle extraite des graines est utilisée en parfumerie mais aussi comme arôme alimentaire.

Exposition : situation dégagée et ensoleillée.

Semis : mieux vaut semer en place, car le repiquage est délicat. Semez quelques graines en début de printemps, ou dès l'automne, dans un grand pot ou une jardinière remplis de terreau ordinaire ou de terre de jardin bien drainée. Éclaircissez les plants à 20 cm de distance.

Arrosage et engrais : arrosez régulièrement les jeunes plants, puis espacez les arrosages car le carvi supporte une certaine sécheresse. Les apports d'engrais sont inutiles, préférez un léger paillis de compost la deuxième année.

Maladies et parasites : aucun.

Multiplication : par semis (semis spontané fréquent).

Récolte et séchage : cueillez les jeunes feuilles fraîches au fur et à mesure des besoins, pas trop à la fois pour ne pas épuiser la plante. Pour récolter les graines, cueillez les inflorescences dès que les fruits sont formés mais avant qu'ils ne tombent, et suspendez-les au-dessus d'une mousseline pour les faire sécher et recueillir les graines.

Utilisation : hachez quelques jeunes feuilles dans les salades ou les soupes. Utilisez les graines pour parfumer les gâteaux, les compotes de fruits, les sauces de viande. Mâchez les graines pour faciliter la digestion.

Céleri bisannuel

Céleri sauvage, ache des marais

Apium graveolens

Cette bisannuelle est l'« ancêtre » des céleris cultivés, plante qui pousse en Europe le long des côtes et dans les marais salants. Elle peut atteindre près de 1 m de hauteur à la floraison. C'est une plante qui forme la première année une grosse racine bulbeuse et une rosette de feuilles lobées, vert vif. Elle fleurit la seconde année, sur des tiges cannelées, en petites ombelles de fleurs crème à verdâtres, suivies de fins fruits ovoïdes appelés graines.

Les feuilles riches en minéraux, comme les tiges cannelées, ont des vertus digestives, bien que leur goût soit légèrement âcre. Les graines aromatiques ont des propriétés diurétiques et dépuratives, et parfument les plats cuisinés.

Exposition : soleil ou mi-ombre, situation chaude pour la maturation des graines.

Semis : semez en place en fin de printemps, car la plante supporte mal le repiquage, dans du terreau ordinaire ou une terre de jardin plutôt fraîche (elle supporte les sols salés !).

Arrosage et engrais : arrosez régulièrement pour maintenir le mélange humide. Inutile de faire des apports d'engrais.

Maladies et parasites : rares.

Multiplication : par semis.

Récolte et séchage : coupez quelques jeunes tiges et feuilles selon les besoins, en petites quantités. Pour la récolte des graines, coupez les inflorescences dès que les fruits sont formés et suspendez-les au-dessus d'une mousseline pour recueillir les fruits à maturité et les faire sécher.

Utilisation : toxique à haute dose, le céleri sauvage doit être utilisé en petites quantités et après cuisson. Hachez quelques feuilles pour relever un plat en sauce. Utilisez les graines pour parfumer les conserves au vinaigre ou les soupes d'hiver.

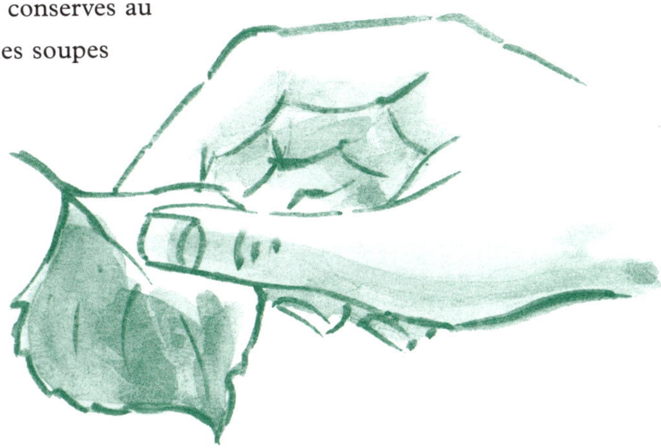

Cerfeuil

Anthriscus cerefolium

Originaire du Moyen-Orient et de l'ouest asiatique, notre cerfeuil des jardins était déjà apprécié des Romains et très utilisé au Moyen Âge comme plante aromatique et médicinale, aux vertus digestives. Sa saveur légèrement anisée en fait l'une des fines herbes les plus appréciées en cuisine. C'est une plante annuelle de 40-60 cm de hauteur, au feuillage vert frais très finement découpé, très parfumé. Elle offre dès le début d'été une floraison en petites ombelles aux minuscules fleurs blanches.

Exposition : soleil ou mi-ombre, mais le cerfeuil monte moins rapidement à graines à mi-ombre.

Semis : l'idéal est de procéder à des semis en très petites quantités, mais répétés à 4-6 semaines d'intervalle, de façon à disposer toute la saison de feuilles fraîches. Semez clair dans une coupe ou jardinière, puis éclaircissez les jeunes plants à 10 cm de distance, dans un terreau ordinaire ou une terre de jardin légère. Vous pouvez aussi vous procurer le cerfeuil en godets prêts à planter.

Arrosage et engrais : maintenez le terreau légèrement humide en permanence, pour retarder la montée à graines. Inutile de donner de l'engrais.

Maladies et parasites : parfois oïdium.

Multiplication : par semis au printemps.

Récolte et séchage : cueillez les feuilles une à une au fur et à mesure des besoins, avant la floraison. La plante se prête mal au séchage, perdant sa saveur.

Utilisation : adoptez le cerfeuil pour parfumer salades et crudités, mais aussi omelette (aux fines herbes !), poissons, potages. Attention son arôme disparaît à la cuisson. Veillez à ajouter le cerfeuil en fin de cuisson, juste avant de servir. Essayez aussi l'infusion de feuilles, qui favorise l'élimination des toxines.

➢ Dans une grande jardinière intégrée, laissez le cerfeuil se ressemer d'une année sur l'autre.

Cerfeuil musqué

Myrrhis odorata

Autrefois appelé cerfeuil sauvage, c'est une plante vivace rustique, européenne, poussant dans les prairies, le long des chemins et des haies. Elle offre un feuillage aromatique finement divisé, ressemblant à celui des fougères, issu d'une grosse racine pivotante, des tiges creuses, atteignant jusqu'à 1,50 m de hauteur, couronnées en fin de printemps de grandes ombelles blanches. Aux fleurs minuscules succèdent de longs fruits fins, bruns, aromatiques également.

Cette plante au parfum anisé, agréable, était utilisée au Moyen Âge comme ingrédient des « jonchées », plantes et fleurs odorantes utilisées pour garnir le sol. Les racines servaient à se protéger contre la peste. L'infusion de feuilles a des vertus toniques et digestives.

Exposition : soleil ou mi-ombre, mais situation fraîche de préférence.

Plantation : plantez le cerfeuil musqué au printemps ou en début d'automne, dans un terreau ordinaire ou une terre de jardin de préférence fraîche et humifère. Préférez l'isoler dans un grand pot ou bac, car il est assez envahissant.

Arrosage et engrais : arrosez régulièrement, de façon à ce que le mélange de culture demeure légèrement frais. Faites un apport annuel de compost ou engrais organique.

Autres soins : supprimez éventuellement les inflorescences dès qu'elles se forment, pour favoriser le développement et l'arôme du feuillage.

Maladies et parasites : aucun.

Multiplication : par semis ou division des touffes au printemps.

Récolte et séchage : cueillez les feuilles fraîches selon les besoins. Elles se prêtent mal au séchage. Vous pouvez aussi récolter les graines fraîches, encore vertes, à saveur de réglisse.

Utilisation : ajoutez quelques feuilles pour parfumer une compote de fruits. Vous pouvez aussi en hacher dans une soupe ou une sauce. Les graines fraîches parfument les salades de fruits.

Ciboule

Cive

Allium fistulosum

Souvent confondue avec la ciboulette, cette espèce proche nous vient semble-t-il de l'est asiatique et aurait été introduite en Europe dès la fin du Moyen Âge. Robuste et très rustique, c'est une plante vivace souvent cultivée en annuelle. Tiges et feuilles sont creuses, charnues, de 30 à 50 cm de long, vert glauque. La plante fleurit en été en ombelles blanches ou verdâtres. Sous climat assez doux, elle conserve toute l'année son feuillage vert, ce qui permet une récolte en toutes saisons.
Il en existe des variétés à tige plus ou moins renflée à la base, à renflement souvent teinté de rouge.
Toute la plante dégage une forte odeur d'ail et ce sont, comme pour la ciboulette, les feuilles que l'on consomme, hachées. Leur goût est plus accentué que celui de la ciboulette.
Comme l'oignon, la ciboule présente des propriétés antiseptiques et expectorantes.

Exposition : soleil de préférence, ou ombre légère.

Plantation : mettez en place les plants achetés en godets au printemps, de préférence dans une bonne terre de jardin, fraîche, ou dans du terreau de rempotage ordinaire enrichi de compost. Vous pouvez aussi semer en place au printemps, puis éclaircir les plants à 10 cm de distance.

Arrosage et engrais : arrosez régulièrement de façon à conserver un peu de fraîcheur au niveau des racines, ce qui retarde la montée à graines. Les apports d'engrais sont inutiles dans une bonne terre.

Autres soins : en région froide, rabattez les feuilles abîmées en fin d'automne.

Maladies et parasites : rares.

Multiplication : par semis ou division des touffes.

Récolte et séchage : récoltez les feuilles au fur et à mesure des besoins, en les coupant à la base. Vous pouvez aussi les faire sécher à l'air pour les utiliser dans les plats d'hiver.

Utilisation : hachez feuilles et base renflée de la tige pour parfumer salades, omelettes, soupes et autres préparations culinaires.

Ciboulette

Allium schoenoprasum

Appelée aussi civette, c'est l'une des plantes aromatiques indispensables sur le moindre petit balcon, qui plus est très facile à cultiver.
Présente à l'état sauvage dans les zones tempérées de l'hémisphère Nord, c'est une petite plante vivace qui forme des touffes denses, à renflement bulbeux peu marqué à la base. Les feuilles sont beaucoup plus fines que celles de la ciboule, vert bleuté, et ne dépassent pas 30 cm de long. Elle fleurit en début d'été, sous forme de boules de fleurs mauve rosé, qui ne manquent pas de charme et sont également comestibles !
Toute la plante a une saveur douce d'oignon et les feuilles sont légèrement laxatives. Figure essentielle des fines herbes, la ciboulette se prête à toutes sortes d'accommodations culinaires.
La ciboulette peut être cultivée seule ou associée à d'autres aromates en jardinière. Dans une grande jardinière intégrée sur une terrasse, elle peut composer une bordure basse décorative et gourmande.

Exposition : soleil ou mi-ombre, mais pas de soleil brûlant.
Plantation : plantez la ciboulette au printemps ou en septembre-octobre, sous forme de plants achetés en godets ou d'éclats de touffes divisées. Plantez-la de préférence dans une terre de jardin fertile et fraîche, ou dans un terreau ordinaire enrichi en matière organique (compost ou autre). Vous pouvez aussi la semer en place et éclaircir progressivement les plants à

10 cm de distance.

Arrosage et engrais : arrosez régulièrement pour conserver un peu de fraîcheur au niveau des racines. En cas de sécheresse prononcée, les feuilles sèchent. Plutôt que des apports d'engrais, faites un apport annuel de compost.

Autres soins : rabattez les touffes sèches après les premiers froids. Supprimez au besoin les hampes florales dès qu'elles se forment, si vous souhaitez privilégier la formation de feuilles fraîches.

Maladies et parasites : rares au balcon.

Multiplication : par semis au printemps, division des touffes au printemps ou en début d'automne.

Récolte et séchage : cueillez les feuilles au fur et à mesure des

besoins, en coupant non les pointes, mais feuille à feuille près de la base, pour stimuler la repousse. Vous pouvez aussi congeler des feuilles hachées en glaçons. Pour les salades, cueillez les fleurs jeunes. Vous pouvez aussi en faire de petits bouquets, et même les faire sécher à l'air, toujours en les cueillant en début d'épanouissement.

Utilisation : la ciboulette aromatise aussi bien salades, crudités, fromage blanc, que les plats cuisinés comme omelettes, soupes, poissons… Parsemez une salade verte de quelques fleurs, pour un décor comestible !

➢ Si votre potée de ciboulette a souffert de la sécheresse pendant les vacances, rabattez toute la touffe à 2-3 cm de la base, arrosez bien, les feuilles repousseront.

Ciboulette chinoise

Allium tuberosum

Proche de notre ciboulette classique, c'est une vivace plutôt cultivée comme une annuelle, à racines rhizomateuses mais ne formant pas de bulbe. Les touffes de feuilles vertes aplaties, fines, atteignent 30-40 cm de hauteur. Elle fleurit en été en ombelles de petites fleurs blanches étoilées, comestibles également. On utilise feuilles et même fleurs, fraîches, comme la ciboulette, mais leur saveur est un peu plus relevée, rappelant l'ail. La croissance des feuilles est rapide, ce qui permet d'en couper souvent. Dans la cuisine chinoise, feuilles et pousses prêtes à fleurir sont consommées cuites.

Exposition : soleil ou mi-ombre.

Plantation : mettez des plants en godets ou semez en place à partir de mars, dans une bonne terre de jardin ou un terreau de rempotage ordinaire enrichi en matière organique. Éclaircissez les plants à 10 cm de distance environ.

Arrosage et engrais : arrosez régulièrement pour maintenir un peu de fraîcheur au niveau des racines, mais évitez toute humidité stagnante. Un apport annuel de compost ou engrais organique suffit ; il est inutile si vous cultivez la ciboulette chinoise en annuelle.

Autres soins : rabattez les feuilles sèches en fin d'automne.

Maladies et parasites : rares.

Multiplication : par semis ou division des touffes au printemps.

Récolte et séchage : coupez les feuilles à la base, comme la ciboulette. Récoltez-la régulièrement car elle pousse vite. Vous pouvez aussi récolter et utiliser les fleurs.

Utilisation : hachez les feuilles, riches en vitamines comme celles de la ciboulette, dans les salades, omelettes, fromage blanc, et utilisez les fleurs en décoration gourmande.

Ciste lédon

Ciste à gomme

Cistus ladanifer

Ce bel arbuste méditerranéen, au feuillage persistant aromatique, vert foncé, sera superbe sur une terrasse, en bac ou associé à d'autres arbustes méditerranéens. Il craint les froids sévères mais résistera bien par contre sur un balcon en bord de mer.

Il atteint 1,50 à 2 m de hauteur, presque autant en largeur, avec des feuilles lancéolées, glabres au-dessus, duveteuses sur la face inférieure, collantes au toucher. Il porte en été de grandes fleurs blanches, aux pétales tachés de pourpre à la base et à bouquet central d'étamines dorées. Ces fleurs éphémères ne durent qu'une journée mais se succèdent sur une longue période. Il sécrète par les poils glanduleux de ses feuilles et tiges une résine aromatique, au parfum d'ambre. Cette sécrétion parfumée est d'autant plus importante qu'il fait chaud.

Cette résine aux propriétés insecticides était et est toujours utilisée en parfumerie et cosmétique comme fixatif de parfums.

Exposition : plein soleil, à abriter en hiver en région froide.

Plantation : plantez le ciste au printemps dans un bac ou une grande jardinière, dans une terre légère et bien drainée, calcaire de préférence. Évitez les mélanges à base de tourbe.

Arrosage et engrais : arrosez modérément cet arbuste qui résiste bien à la chaleur comme à la sécheresse, et n'en est que plus odorant. Attendez pour arroser que la terre soit sèche en profondeur. Faites un apport annuel d'engrais organique ou compost.

Autres soins : taillez au besoin en début de printemps les pousses ayant souffert du froid en hiver ; profitez-en pour rectifier la silhouette, supprimer les tiges faibles ou mal placées.

Maladies et parasites : aucun.

Multiplication : par boutures terminales en début d'été.

Récolte et séchage : cueillez les feuilles une à une par temps chaud et ensoleillé, puis faites-les sécher sur des clayettes en situation sombre, chaude et bien aérée.

Utilisation : ajoutez ces feuilles séchées très odorantes dans un pot-pourri aux arômes épicés ou boisés. Vous pouvez aussi les disposer seules dans des soucoupes ou sachets pour parfumer le linge.

Citronnelle

Verveine de l'Inde

Cymbopogon citratus

Originaire d'Inde et de Ceylan, très cultivée dans de nombreux pays tropicaux, cette graminée vivace très aromatique est encore assez peu connue chez nous. Ses tiges renflées à la base portent des feuilles linéaires vert vif. Les touffes peuvent dépasser 1 m de hauteur et se prêtent bien à la culture en bac, bien qu'elles n'y atteignent pas cette taille. La citronnelle fleurit en panicules lâches, mais assez rarement en pot.

Les feuilles dégagent un parfum citronné puissant et l'huile essentielle qui en est extraite a des propriétés antiseptiques et insecticides. C'est l'essence de citronnelle utilisée pour éloigner les moustiques.

Jeunes tiges et feuilles sont très utilisées dans les cuisines asiatiques comme légume parfumé.
En région froide, rentrez la citronnelle sous véranda pour l'hiver. Dans le Midi, elle pourra demeurer en situation abritée sur le balcon.

Exposition : situation ensoleillée et abritée.
Plantation : plantez la citronnelle en mai-juin, dans un grand pot ou bac rempli de bonne terre de jardin ou de terreau de rempotage ordinaire, si possible enrichi en matière organique.
Arrosage et engrais : arrosez régulièrement en été, 2 fois par semaine environ, en laissant le terreau sécher sur 2-3 cm entre les arrosages. Réduisez nettement les arrosages en hiver (tous les 8-10 jours). Faites 2-3 apports d'engrais liquide ordinaire dans la saison.
Autres soins : assurez-lui en hiver un minimum de 5 à 8 °C.
Maladies et parasites : rares.
Multiplication : par division des rhizomes au printemps.
Récolte et séchage : choisissez de jeunes tiges, de belles feuilles encore jeunes, à couper au fur et à mesure des besoins. Faites sécher des feuilles à l'air pour les tisanes ou pots-pourris.
Utilisation : hachez quelques feuilles et jeunes tiges pour apporter un arôme citronné à certains plats cuisinés, par exemple viandes blanches, poissons. Essayez aussi la tisane de feuilles, très parfumée, recommandée pour soulager fièvre et douleurs d'estomac.

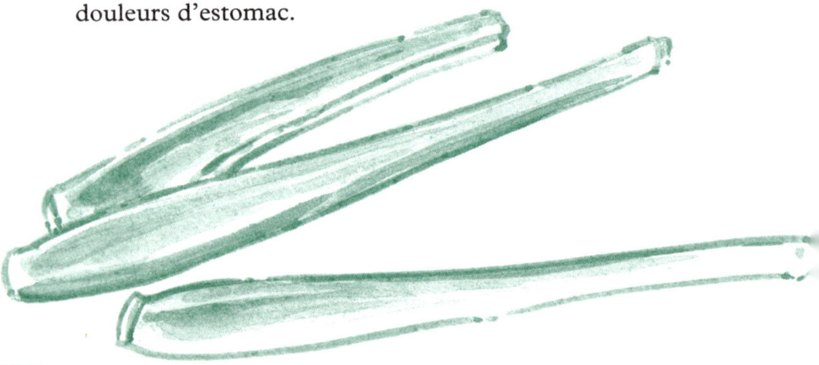

Consoude officinale

Grande consoude

Symphytum officinale

Cette robuste plante vivace pousse à l'état sauvage dans les prairies, les bois humides et les fossés d'Europe. La racine épaisse, pivotante, développe des tiges hérissées de poils qui peuvent dépasser 1 m de hauteur. Les grandes feuilles lancéolées, rugueuses, lui valent parfois le nom de « langue-de-vache ». Les tiges portent en fin de printemps des grappes d'abord enroulées de petites fleurs tubulées qui virent du rose au bleu-mauve. Il en existe des formes à fleurs crème.

Le nom de consoude vient du latin consolidare, *consolider, par référence à ses propriétés médicinales, favorisant la guérison des fractures et contusions. C'est à cet effet qu'elle était utilisée au Moyen Âge. Les feuilles peuvent toujours être appliquées sous forme de compresses, pour soulager contusions, entorses, pour favoriser la cicatrisation des petites plaies et coupures. Feuilles et tiges font par ailleurs un bon activateur de compost pour les jardiniers. L'infusion de feuilles, un temps conseillé pour calmer toux et inflammations, est aujourd'hui déconseillée car la plante contient des alcaloïdes toxiques.*

Exposition : soleil ou mi-ombre.

Plantation : plantez la consoude au printemps ou en début d'automne, de préférence dans une terre de jardin plutôt fraîche. Un terreau ordinaire peut aussi convenir à cette plante vigoureuse. Isolez-la dans un grand pot ou bac, car elle est envahissante, le moindre éclat de racine donnant naissance à une nouvelle touffe.

Arrosage et engrais : arrosez régulièrement, de façon à maintenir le mélange terreux légèrement humide en permanence, avec 2 ou 3 arrosages copieux par semaine en été. Inutile de faire des apports d'engrais liquide. Mieux vaut apporter un engrais organique ou un paillis 1 fois par an.

Autres soins : rabattez les tiges à la base après les premières gelées.

Maladies et parasites : rares.

Multiplication : facile, par division des racines au printemps ou en début d'automne.

Récolte : cueillez les feuilles fraîches au fur et à mesure des besoins. Comme activateur de compost, vous pouvez utiliser des tiges entières.

Utilisation : appliquez les feuilles fraîches sous forme de compresse ou cataplasme sur les entorses, douleurs inflammatoires, petites plaies et brûlures. Si la texture rugueuse des feuilles est désagréable au contact, intercalez un linge fin ou une gaze.

Coriandre

Persil chinois

Coriandrum sativum

Originaire d'Asie occidentale et du sud-est de l'Europe, cette annuelle très aromatique était déjà utilisée dans l'Antiquité, aussi bien par les Égyptiens, les Grecs que les Romains.
Les tiges dressées ne dépassent guère 50 cm de hauteur. Elles portent des feuilles basales lobées et découpées, qui ressemblent à celles du persil, tandis que les feuilles supérieures sont très finement divisées. Des ombelles de petites fleurs blanc rosé apparaissent en été, suivies de fruits aromatiques brun clair, striés, appelés graines de coriandre.
Il en existe des variétés à grandes feuilles, spécialement destinées à la récolte du feuillage à des fins culinaires.
Utilisée depuis des siècles comme plante condimentaire, en particulier dans la cuisine asiatique et orientale, la coriandre possède aussi des propriétés médicinales. Feuilles et graines facilitent la digestion, tandis que les graines constituent également un sédatif léger. L'huile essentielle est utilisée en parfumerie et cosmétique.

Exposition : situation ensoleillée et abritée.
Semis : semez la coriandre directement en place en avril, car les plants supportent mal le repiquage. Semez clair dans une coupe large ou une jardinière remplie de terreau ordinaire ou de terre de jardin légère. Ne conservez que 1 plant tous les 15 cm environ.
Arrosage et engrais : surveillez l'arrosage des jeunes plants, qui ne doivent pas sécher. Par la suite, des arrosages modérés

suffisent, 2 fois par semaine environ. Inutile de donner de l'engrais à cette annuelle à croissance rapide.

Maladies et parasites : rares.

Multiplication : par semis des graines au printemps (ou en automne sous abri).

Récolte et séchage : les feuilles ne conviennent pas au séchage, aussi cueillez-les au fur et à mesure des besoins, tout au long de l'été. Coupez les inflorescences quand les graines passent du vert au beige. Suspendez-les tête en bas dans un local chaud et bien aéré, au-dessus d'une mousseline pour récolter les fruits. Gardez les fruits secs dans des bocaux étanches.

Utilisation : les feuilles au parfum fort, piquant, ne plaisent pas à tout le monde. Elles sont pourtant très utilisées dans la cuisine indienne et arabe, associées à d'autres épices. Incorporez des feuilles hachées dans un curry, une soupe, une viande en sauce. Les graines sont plus douces au goût, bien que légèrement amères. Elles peuvent parfumer aussi bien gâteaux et confiseries que curries, marinades, cornichons au vinaigre…

➢ Croquez quelques graines de coriandre pour vous mettre en appétit !

Cresson alénois

Passerage

Lepidium sativum

Cette annuelle à saveur piquante (comme tous les cressons !) est originaire d'Égypte et d'Asie occidentale, parfois naturalisée chez nous. C'est une petite plante qui dépasse rarement 50 cm de hauteur, à tiges et feuilles légèrement glauques, feuilles inférieures profondément lobées, feuilles supérieures entières ou à lobes fins. Elle porte en début d'été de petites fleurs blanches ou rosées, suivies de petits fruits ovales, ailés, renfermant des graines brunes. Le cresson alénois était autrefois utilisé pour ses propriétés médicinales, antiscorbutiques (il aurait été utilisé par l'équipage du capitaine Cook !), diurétiques et dépuratives. Les feuilles sont ajoutées aux salades dans de nombreux pays, bien qu'assez rarement en France. Les graines peuvent servir de substitut de la moutarde.

Exposition : soleil ou ombre légère.

Semis : semez le cresson alénois en place au printemps ou en été. L'idéal est de procéder à plusieurs semis successifs, en petites quantités pour disposer longtemps de jeunes feuilles fraîches. Semez dans une coupe ou jardinière remplie de terreau ordinaire ou terre légère. Éclaircissez les plants pour ne conserver que 1 plant tous les 8-10 cm. Ajoutez les plantules éclaircies dans une salade !

Arrosage et engrais : arrosez très régulièrement les jeunes semis sensibles à la sécheresse. Par la suite, la plante est moins exigeante, mais des arrosages réguliers en période chaude et

sèche retardent la montée à graines. Inutile de faire des apports d'engrais.

Maladies et parasites : parfois altises.

Multiplication : par semis.

Récolte et séchage : coupez les feuilles, à utiliser fraîches, au fur et à mesure des besoins, en petite quantité. Pour la récolte des graines, coupez les tiges sous les inflorescences quand les fruits commencent à se colorer, puis faites-les sécher tête en bas au-dessus d'une toile. Après séchage, gardez les graines dans un bocal étanche.

Utilisation : hachez quelques feuilles piquantes dans une salade pour en relever le goût, mais n'en abusez pas, car leur saveur est forte. Toujours hachées, elles remplaceront le persil sur un plat de légumes. Ajoutées dans une soupe en cours de cuisson, elles ont une saveur plus douce. Utilisez également les graines comme condiment dans les plats cuisinés.

➢ Les graines de cresson germent en 24 h et se prêtent de ce fait à un semis en germoir de terre cuite, pour obtenir même en hiver en quelques jours de jeunes pousses comestibles pour les salades et tartines beurrées.

Cumin
Cuminum cyminum

Natif du Bassin méditerranéen mais cultivé depuis des millénaires jusqu'en Chine, en Inde et aujourd'hui dans de nombreuses régions tropicales, le cumin est une annuelle de 20-30 cm de hauteur, à feuillage vert clair finement divisé comme celui de l'aneth ou du carvi, avec lequel il peut être confondu. Le cumin porte en été des ombelles de minuscules fleurs blanches ou rosées, qui donnent ensuite de petits fruits longs, striés, appelés « graines de cumin ».

Si les graines de cumin sont très utilisées comme épice, les feuilles et tiges, pourtant aromatiques également, sont rarement employées, si ce n'est dans la cuisine asiatique. L'huile essentielle, antiseptique, est également utilisée en parfumerie.

Les graines de cumin ont des propriétés digestives et apéritives.

Attention, ne confondez pas le vrai cumin avec le cumin noir, qui est le fruit de la nigelle aromatique, Nigella sativa.

Exposition : situation chaude, ensoleillée et abritée pour favoriser la maturation des graines.

Semis : semez le cumin en place, dans une terrine ou jardinière, au chaud dans la maison, en mars. Semez dans une terre légère, voire sableuse, ou un terreau ordinaire additionné d'un quart de sable grossier. Attendez au moins la mi-mai en région froide pour sortir votre jardinière ou potée de cumin sur le balcon.

Arrosage et engrais : arrosez régulièrement les jeunes semis, ne conservez que 1 plant tous les 10-15 cm. Des arrosages modérés suffisent ensuite à cette plante qui ne craint guère la sécheresse et demande beaucoup de soleil. Les apports d'engrais sont inutiles.

Maladies et parasites : rares.

Multiplication : par semis au printemps.

Récolte et séchage : coupez les inflorescences quand les graines vertes commencent à brunir. Suspendez-les tête en bas en situation chaude et aérée, au-dessus d'une mousseline sur laquelle vous récolterez les fruits mûrs.

Utilisation : essayez comme au Moyen-Orient les graines de cumin pour aromatiser soupes et viandes en sauce. Il agrémente également le pain, les fromages comme le munster bien sûr, et pourquoi pas, yaourt ou fromage blanc. Pour soulager rhumes ou troubles digestifs, prenez une infusion de graines de cumin.

Épiaire officinal

Bétoine officinale

Stachys officinalis

Cette plante vivace qui peut atteindre jusqu'à 80 cm de haut, pousse à l'état sauvage dans les prés et les bois d'Europe et d'Asie. Elle forme des rosettes basales de feuilles crénelées, vert foncé, avant d'émettre des tiges aux feuilles opposées plus petites, couronnées en été d'épis de fleurs tubulées rouge magenta. 'Rosea' en est une variété à floraison rose et feuillage plus clair. Très utilisé autrefois pour ses vertus médicinales, notamment pour calmer maux de tête et angoisses, l'épiaire était même réputé pour éloigner sorcières et sortilèges ! Moins courant aujourd'hui, c'est une plante facile à vivre qui se plaira sur le balcon dans

une grande jardinière, associée à d'autres plantes vivaces médicinales ou aromatiques.
Feuilles et tiges florales ont des propriétés toniques, dépuratives, et activent la circulation sanguine.

Exposition : soleil ou mi-ombre.

Plantation : plantez l'épiaire au printemps ou en début d'automne, seul dans un grand pot ou associé à d'autres plantes en bac ou jardinière, dans une terre de jardin légère, même sableuse, ou un terreau de rempotage ordinaire.

Arrosage et engrais : arrosez environ 2 fois par semaine en été, en attendant pour arroser à nouveau que le terreau sèche sur quelques centimètres. Faites un apport annuel de paillis ou engrais organique, ou bien 3 apports d'engrais liquide entre fin de printemps et mi-été.

Autres soins : rabattez les tiges défleuries en fin d'automne.

Maladies et parasites : les limaces peuvent s'attaquer aux jeunes feuilles au printemps.

Multiplication : par division des touffes ou semis.

Récolte et séchage : cueillez les feuilles au fur et à mesure des besoins pour les employer fraîches. Coupez les tiges florales en début de floraison pour les utiliser fraîches ou après séchage à l'air.

Utilisation : appliquez les feuilles fraîches en cataplasme sur les abcès, les petites plaies, les piqûres d'insectes. L'infusion de feuilles et fleurs, au goût agréable, a longtemps servi de succédané du thé. Légèrement sédative, cette infusion calmerait maux de tête, digestion difficile, états nerveux.

Estragon

Artemisia dracunculus

Comme l'armoise aurone, l'estragon appartient au genre botanique Artemisia. *C'est une plante vivace native de l'est de l'Europe, qui forme une touffe lâche de tiges ramifiées, lignifiées à la base, jusqu'à 0,80 à 1 m de hauteur. Les tiges portent des feuilles étroites, vert soutenu, très parfumées, au goût légèrement poivré et anisé. La floraison blanchâtre, en été, est insignifiante. Aromate très courant aujourd'hui, l'estragon aurait été introduit en Europe occidentale par les croisés. Son nom d'espèce* dracunculus, *« petit dragon », fait référence à une ancienne croyance qui lui attribuait la propriété de guérir les morsures de serpent ! C'est l'une de nos fines herbes riches en vitamines et sels minéraux, aux vertus digestives et apéritives. Elle est facile à cultiver en pot même sur un petit balcon, ou à associer à d'autres aromates dans une grande jardinière.*

Exposition : ensoleillée, pourvu que le soleil ne soit pas trop ardent à la mi-journée ; sinon ombre légère.

Plantation : achetez l'estragon en godet au printemps et plantez-le dans toute bonne terre de jardin bien drainée ou dans un terreau ordinaire de rempotage, additionné d'un peu de sable grossier. Évitez de le planter en automne car il est sensible à l'humidité hivernale.

Arrosage et engrais : arrosez régulièrement, en laissant la terre ou le terreau sécher sur quelques centimètres avant d'arroser à nouveau. Faites un apport d'engrais organique au printemps, ou bien des apports mensuels d'engrais liquide entre mai et août.

Autres soins : nettoyez la touffe en fin d'hiver pour supprimer les tiges qui ont souffert du froid, rabattez celles qui sont trop longues.

Maladies et parasites : rares.

Multiplication : par division des touffes ou bouturage au printemps.

Récolte et séchage : coupez les jeunes pousses ou feuilles fraîches au fur et à mesure des besoins. La récolte des extrémités de tiges retarde d'ailleurs la floraison, inintéressante, et stimule le buissonnement. Pour le séchage, coupez des tiges entières et séchez-les à l'air, en petits bouquets. L'estragon séché est cependant nettement moins parfumé que le frais.
Utilisation : indispensable aromate, l'estragon parfume délicieusement salades vertes et tomates, poulet, vinaigre et moutarde. Hachez aussi des feuilles fraîches sur des plats de légumes avant de servir, incorporez-en dans les farces à la viande… et essayez la tisane de feuilles pour faciliter la digestion !

Fenouil

Foeniculum vulgare

Cette grande plante vivace originaire du Bassin méditerranéen, introduite par les Romains en Europe occidentale, est aujourd'hui naturalisée sur de nombreux littoraux. Le fenouil bulbeux consommé comme légume en est une variété.
Avec ses longues tiges, jusqu'à 2 m et plus, son feuillage plumeux vert vif, très léger, couronné en été d'ombelles de petites fleurs jaunes, le fenouil commun offre une silhouette intéressante au balcon ou sur la terrasse, si vous pouvez lui offrir un bac assez profond pour loger son épaisse racine. Très aromatique, la plante dégage un parfum anisé dès qu'on l'effleure. Les fleurs sont suivies, en fin d'été, de fines graines côtelées brun clair.
Il en existe une variété à feuillage bronze, très décorative et possédant les mêmes propriétés que l'espèce.

Déjà utilisé par les Romains pour ses vertus médicinales mais aussi comme légume, le fenouil était réputé au Moyen Âge pour tenir les sorcières à distance ! Au XVIIe siècle, le fenouil était conseillé pour faciliter la perte de poids, favoriser la sécrétion lactée, soulager les yeux irrités. Son huile essentielle est toujours utilisée en parfumerie.
Il est bien possible que votre fenouil se ressème ici et là sur la terrasse, ce qui ne manque pas forcément de charme !

Exposition : situation ensoleillée, même chaude.
Plantation : plantez au printemps (plutôt qu'en automne, pour qu'il soit bien implanté avant l'hiver) un pied de fenouil acheté en pot. Cultivez-le seul dans un bac ou associé à

d'autres bonnes herbes méditerranéennes comme sauge, romarin, thym… toutes aimant le soleil et composant des scènes de feuillage très décoratives. Plantez dans une terre de jardin légère, bien drainée, même sableuse, ou dans un terreau de rempotage ordinaire additionné d'un peu de sable grossier ou vermiculite.

Arrosage et engrais : arrosez régulièrement après plantation pour assurer une bonne reprise, puis espacez les arrosages. Attendez pour arroser que la terre ou le terreau soient secs sur quelques centimètres. S'il est cultivé dans de la terre de jardin, un apport annuel de paillis organique suffit à lui apporter les éléments nutritifs nécessaires. Dans un terreau ordinaire, faites un apport annuel d'engrais à décomposition lente.

Autres soins : protégez le fenouil de tout excès d'humidité en hiver. Rabattez les tiges en fin d'automne quand elles sont abîmées par le froid.

Maladies et parasites : parfois pucerons.

Multiplication : par semis ou division des touffes au printemps.

Récolte et séchage : récoltez les feuilles fraîches au fur et à mesure des besoins pour une utilisation immédiate, car elles flétrissent rapidement. Elles se prêtent par ailleurs mal au séchage. Vous pouvez, par contre, couper quelques tiges en fin d'été et les faire sécher au chaud, en tronçons. Comme les graines, elles conservent leur parfum. Coupez les inflorescences quand les graines commencent à se colorer et faites-les sécher suspendues au-dessus d'une toile ou mousseline sur laquelle tomberont les graines à maturité. Conservez-les pour l'hiver dans un bocal étanche.

Utilisation : les feuilles parfument bien sûr agréablement les poissons, mais essayez-les aussi dans une salade verte, avec des pommes de terre cuites à l'eau. Les graines aromatisent le pain, les marinades (pour le poisson en particulier), les sauces accompagnant les légumes. Pour une haleine fraîche, croquez quelques graines, aux vertus apéritives et digestives. Goûtez aussi la tisane de graines de fenouil, au goût agréablement anisé, recommandée pour faciliter la digestion, favoriser la lactation des jeunes mères et le sommeil des nourrissons et des enfants.

Fenugrec
Trigonelle
Trigonella foenum-graecum

Originaire du sud de l'Europe et d'Asie, assez peu répandue chez nous, cette annuelle est très utilisée au Moyen-Orient et en Inde comme légume ou condiment, ainsi que pour ses propriétés médicinales. C'est une plante aux tiges lâches, ramifiées, d'environ 50 cm de hauteur, à feuilles à 3 folioles comme celles du trèfle, dégageant une odeur de foin lorsqu'elles sont sèches (d'ailleurs utilisées comme fourrage !), à petites fleurs papilionacées jaune pâle en été, suivies de gousses renfermant des graines aromatiques de forme presque cubique.

Les graines sont utilisées depuis très longtemps pour leurs propriétés thérapeutiques. On en a retrouvé dans des tombeaux égyptiens et elles faisaient partie de la panoplie des apothicaires européens de la Renaissance, comme de la médecine chinoise. Digestives et toniques, elles favorisent l'élimination des toxines, font baisser la fièvre et ont des propriétés adoucissantes sous forme de cataplasme.

Exposition : situation dégagée et ensoleillée, chaude.

Semis : semez le fenugrec en place au printemps, quand la terre est réchauffée, dans une coupe ou jardinière remplie de terre légère, bien drainée, ou un terreau de rempotage ordinaire additionné de sable grossier. Éclaircissez les plants pour obtenir un espacement de 15 cm environ. Ajoutez les plants éclaircis dans une salade.

Arrosage et engrais : surveillez les arrosages des semis, puis espacez-les pour arroser environ 2 fois par semaine en été. Inutile de faire des apports d'engrais pour cette annuelle à croissance rapide.

Maladies et parasites : rares.

Multiplication : par semis.

Récolte et séchage : coupez des feuilles fraîches au fur et à mesure des besoins. Récoltez les gousses à maturité et faites sécher les graines pour les conserver.

Utilisation : ajoutez quelques jeunes feuilles, au goût un peu amer, dans les salades car elles sont riches en vitamines. Vous pouvez aussi les cuire, comme un légume vert, ce qui est fréquent dans la cuisine indienne. Les graines torréfiées et broyées entrent dans la composition du curry. Elles servent de condiment dans les cuisines méditerranéennes et asiatiques. Essayez l'infusion de graines, tonique, pour faire baisser la fièvre et faciliter la digestion.

Ficoïde glaciale

Glaciale

Mesembryanthemum crystallinum

Cette plante vivace cultivée comme une annuelle est originaire d'Afrique du Sud mais naturalisée sur les côtes méditerranéennes. Elle forme des touffes aux tiges lâches, ramifiées, de 20-30 cm de hauteur, à feuilles charnues, vert clair, au goût un peu acidulé. Ces feuilles se caractérisent par des papilles transparentes contenant un liquide salé et donnant aux feuilles un aspect « glacé », d'où son nom de glaciale. Cette plante offre en début d'été une floraison décorative en fleurs de marguerite à fins pétales blancs ou roses.

Cultivez cette petite plante qui ne manque pas de charme et supporte bien les expositions chaudes au balcon, seule dans une jardinière ou sous forme de quelques sujets au premier plan d'un grand bac ou d'une jardinière intégrée.

Exposition : chaude et ensoleillée.

Semis : semez la ficoïde en place à partir de mai (ou au chaud dès le mois de mars), en couvrant à peine les graines, dans un terreau

ordinaire ou une terre légère, très drainante. Après la levée, éclaircissez pour ne conserver que 1 plant tous les 10-12 cm.

Arrosage et engrais : arrosez régulièrement en situation chaude, 2 à 3 fois par semaine en été. Inutile de faire des apports d'engrais. Vous pouvez étaler un paillis entre les plantes, à la fois pour retenir la fraîcheur et assurer des apports nutritifs.

Maladies et parasites : attention aux limaces sur la terrasse, en début de saison.

Multiplication : par semis.

Récolte et séchage : cueillez les feuilles fraîches, charnues et juteuses, au fur et à mesure des besoins, à partir de 6-8 semaines après le semis. En fin de saison, vous pouvez en congeler après cuisson, comme des épinards.

Utilisation : crue, la ficoïde fait une salade très rafraîchissante, tandis que cuite, vous pouvez l'utiliser comme tous les légumes-feuilles de type épinard, à la crème ou en sauce. La ficoïde a des propriétés rafraîchissantes, diurétiques et même expectorantes.

Fraisier des bois

Fragaria vesca

Cette petite plante vivace qui pousse en Europe dans les sous-bois frais est surtout appréciée pour ses petits fruits rouges en fin de printemps et été, si parfumés. Elle forme des rosettes de feuilles à 3 folioles dentées, vert vif, de 20-25 cm de hauteur. Les petites fleurs blanches sont suivies des « fraises des bois » rouges. La plante s'étale progressivement par des stolons porteurs de nouvelles plantes. Ce petit fraisier est précieux pour servir de couvre-sol dans un grand bac ou une jardinière intégrée accueillant des plantes de fraîcheur. Ses fruits rouges apporteront une touche colorée parmi les feuillages.

Les fraises des bois entrent dans la préparation de lotions et crèmes pour la peau, qui apaisent les irritations et les coups de soleil. En tisane, la feuille est diurétique, calmante et digestive.

Exposition : soleil ou mi-ombre, en situation fraîche.

Plantation : plantez quelques fraisiers des bois au printemps de préférence, dans une grande jardinière remplie de bonne terre de jardin, demeurant fraîche mais bien drainée, plutôt calcaire. Vous pouvez utiliser également un terreau de rempotage ordinaire, enrichi si possible en matière organique (compost, Or brun…). Espacez les plants de 25 cm.

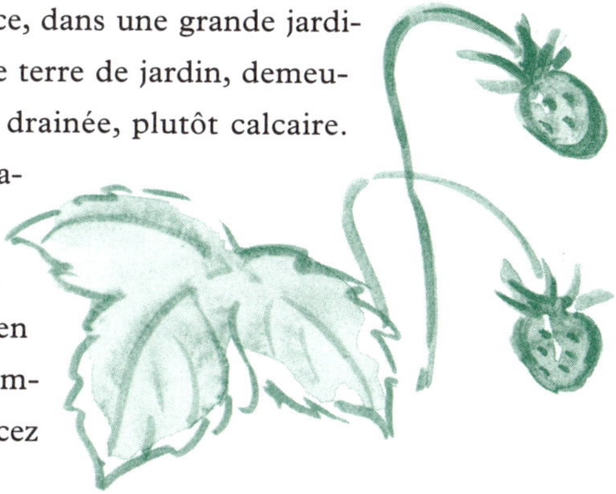

Arrosage et engrais : arrosez régulièrement, de façon à maintenir terre ou terreau frais en permanence, en évitant cependant toute humidité stagnante, été comme hiver. Faites si possible un apport annuel de matière organique ou engrais à action lente.

Autres soins : supprimez quand nécessaire les stolons envahissants. Nettoyez les touffes en fin d'automne. Une couche de paille étalée entre les plants au printemps isole les fruits de la terre ou du terreau.

Maladies et parasites : oïdium, taches foliaires.

Multiplication : par séparation des stolons enracinés, au printemps ou en fin d'été.

Récolte et séchage : cueillez bien sûr les fruits à maturité, quand ils sont bien colorés, et dégustez-les sans attendre. Ils perdent de leur saveur s'ils sont conservés au réfrigérateur. Cueillez des feuilles pour le séchage (destinées aux tisanes) sans dénuder complètement les plantes bien sûr. Séchez-les à plat, à l'air.

Utilisation : ajoutez quelques feuilles séchées de fraisier des bois (les variétés horticoles n'ont pas ce feuillage parfumé) à un thé « nature » pour le parfumer agréablement. Essayez également la tisane de feuilles de fraisier, diurétique et qui facilite la digestion. Elle était autrefois utilisée pour soigner la goutte. Quant au fruit, qui peut certes figurer dans des desserts ou confitures (mais il en faut plus que ne vous en fournira une jardinière !), ils ne sont jamais si bons que dégustés aussitôt cueillis, frais et très sucrés.

Galéga officinal

Rue-de-chèvre, lilas d'Espagne

Galega officinalis

Cette grande plante vivace pousse au bord des fossés, près des berges des cours d'eau, dans le centre et le sud de l'Europe et en Asie Mineure. Ses tiges lâches peuvent atteindre jusqu'à 1,50 m de hauteur, portant des feuilles composées de folioles ovales vert soutenu, et en été des grappes de fleurs papilionacées roses à mauves, suivies de longues gousses brunes. 'Alba' en est une variété à floraison blanche.

Galega *vient du grec* gala *qui signifie « lait » et fait référence aux effets bénéfiques de cette plante sur la lactation du bétail, chèvres notamment. Elle fut un temps utilisée pour essayer de soigner la peste ! Elle aurait également des propriétés digestives, vermifuges et fébrifuges.*

Son port souple et sa floraison élégante feront de l'effet associés à d'autres plantes aromatiques ou médicinales dans un grand bac. Au jardin, elle fait par ailleurs un bon engrais vert, du fait de sa richesse en azote.

Exposition : dégagée et ensoleillée, ou ombre légère.

Plantation : plantez un jeune sujet acheté en godet, au printemps ou en début d'automne, dans une bonne terre de jardin de préférence, sinon dans un terreau de rempotage ordinaire enrichi en matière organique. Accordez-lui assez d'espace dans une plantation mixte car une seule touffe peut occuper 60 à 80 cm de large.

Arrosage et engrais : le galéga aime la fraîcheur, aussi arrosez régulièrement, dès que le mélange terreux sèche en surface. Évitez cependant l'humidité stagnante. Faites un apport annuel de matière organique ou engrais à décomposition lente.

Autres soins : soutenez si nécessaire par des tuteurs les grandes tiges lâches. Rabattez les tiges en fin d'automne.

Maladies et parasites : rares.

Multiplication : par semis (après avoir fait tremper les graines une nuit) ou division des touffes au printemps.

Récolte et séchage : coupez les sommités fleuries juste avant le plein épanouissement, et faites-les sécher à l'air, en petits bouquets, tête en bas.

Utilisation : l'infusion préparée à partir des sommités fleuries, séchées, aurait également la faculté d'augmenter la lactation chez la femme. C'est par ailleurs une tisane digestive et diurétique. Elle aurait aussi des propriétés hypoglycémiantes intéressantes pour les diabétiques (dans le cadre d'un suivi médical absolument).

Géraniums odorants
Pelargonium

Appartenant au genre Pelargonium *comme les géraniums de nos balcons, ceux-ci sont pour la plupart originaires d'Afrique du Sud et introduits en Europe entre le XVIIe et le XVIIIe siècle. Ce sont des plantes vivaces, non rustiques chez nous, qui demandent donc à être rentrées en hiver sous abri, par exemple dans une véranda. Ce sont les espèces et variétés à feuillage parfumé que l'on appelle les géraniums odorants. Leur floraison est certes moins éclatante que celle des géraniums de balcons, mais elle ne manque pas de charme, en petites fleurs généralement blanches à rose pourpré.*

Parmi les espèces les plus courantes figurent Pelargonium graveolens, *le géranium rosat à feuillage profondément découpé, rugueux, au parfum de rose légèrement citronné, à petites fleurs roses ;* P. tomentosum, *à grandes feuilles veloutées, vert foncé, au parfum mentholé ;* P. crispum *à feuilles vert clair, ondulées et découpées, au parfum citronné… et bien d'autres dont le feuillage froissé dégage un parfum de pomme, de pin, d'épices… Un excellent sujet de collection pour le balcon, mettant en scène teintes, formes et textures de feuillage, senteurs fraîches.*

La palette des géraniums odorants offre aussi des tailles variées,

certains ne dépassant pas 25 cm, d'autres atteignant jusqu'à 1 m de hauteur et d'étalement.
Leurs huiles essentielles sont utilisées en parfumerie, et ces feuillages offrent en outre des propriétés insecticides intéressantes.

Exposition : soleil ou ombre légère.
Plantation : plantez au printemps de jeunes sujets achetés en godets, de préférence individuellement dans des pots car vous devrez les rentrer en automne. Cultivez-les dans une terre de jardin bien drainée ou un terreau de rempotage ordinaire, enrichi si possible d'un peu de vermiculite et de compost.
Arrosage et engrais : arrosez modérément, en laissant sécher le mélange terreux sur quelques centimètres avant d'arroser à nouveau. Réduisez nettement les arrosages en hiver si vos géraniums odorants sont dans une pièce ou véranda peu chauffée. Un arrosage tous les 10-15 jours suffit souvent. Donnez-leur au printemps un engrais organique ou bien faites des apports mensuels d'engrais liquide dilué de moitié, entre mai et août.

Autres soins : supprimez régulièrement feuilles sèches, jaunies. Taillez-les au printemps avant de les sortir au balcon : raccourcissez les pousses étiolées, rectifiez la silhouette si nécessaire, éliminez les pousses sèches. Rempotez-les tous les 2-3 ans au printemps.

Maladies et parasites : rares.

Multiplication : par bouturage de pousses durant l'été.

Récolte et séchage : prélevez quelques feuilles fraîches selon les besoins. Pour le séchage, cueillez feuilles ou pousses entières et séchez-les à plat ou en petits bouquets, en situation chaude et sèche.

Utilisation : les feuilles fraîches peuvent parfumer gâteaux, salades de fruits ou même confitures, le temps de la cuisson ou de la préparation. Mieux vaut cependant ne pas les consommer, mais les enlever avant de servir. Ajoutez des feuilles séchées dans vos pots-pourris ou préparez de petits sachets odorants aux propriétés insecticides (antimites en particulier), à glisser dans les armoires.

➢ Encadrez fenêtre ou porte-fenêtre de potées de géraniums odorants, vous aurez moins d'insectes dans la maison !

Guimauve officinale

Althaea officinalis

Cette grande plante vivace qui pousse en Europe dans les lieux humides peut dépasser 1 m de hauteur. Elle forme des touffes de hautes tiges aux grandes feuilles duveteuses. Ces tiges portent en fin d'été à l'aisselle des feuilles supérieures de grandes fleurs de mauve, blanches à roses. Sa taille implique bien sûr une culture dans un grand bac ou une jardinière intégrée, mais elle est intéressante pour occuper l'espace ou en association avec d'autres bonnes herbes appréciant la fraîcheur, comme menthe ou houblon.

Toute la plante, racine comprise, renferme un mucilage aux vertus adoucissantes et émollientes, utilisé par voie externe pour calmer peaux irritées, brûlures et piqûres d'insectes, par voie interne pour soulager toux et maux de gorge, ulcères de l'estomac.

Sous la Rome antique, ces propriétés médicinales étaient très utilisées et la racine de guimauve par ailleurs consommée comme légume.

La rose trémière, Alcea rosea, *est une plante proche, plutôt cultivée comme une bisannuelle, dont les longues chandelles fleuries sont très décoratives, par exemple en fond de plantation sur une grande terrasse. Elle possède comme la guimauve des propriétés adoucissantes, mais moins marquées.*

Exposition : soleil ou mi-ombre, mais pas de soleil brûlant.

Plantation : plantez la guimauve au printemps dans un bac assez large et profond pour lui permettre de bien se développer, dans un mélange si possible à base de bonne terre de jardin, qui gardera mieux la fraîcheur qu'un terreau ordinaire.

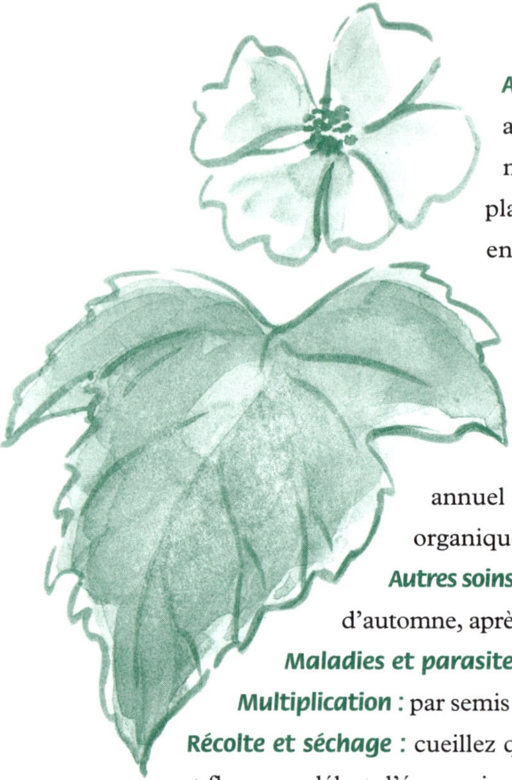

Arrosage et engrais : arrosez très régulièrement cette plante qui se plaît dans un sol humide en permanence, mais en évitant l'humidité stagnante. Arrosez dès que le mélange sèche en surface. Faites un apport annuel de compost ou engrais organique.

Autres soins : rabattez les tiges en fin d'automne, après les premières gelées.

Maladies et parasites : parfois rouille.

Multiplication : par semis ou boutures de racines.

Récolte et séchage : cueillez quelques jeunes feuilles et fleurs en début d'épanouissement pour une utilisation en frais ou après cuisson. Récoltez les feuilles pour le séchage (à plat) juste avant le plein épanouissement des fleurs.

Utilisation : essayez un cataplasme de feuilles fraîches pour soulager brûlures ou piqûres d'insectes. Goûtez aussi feuilles hachées et fleurs ajoutées dans une salade estivale, bien que la texture veloutée des feuilles ne soit pas appréciée de tous ! L'infusion de feuilles séchées peut soulager les maux de gorge mais elle est moins efficace, car moins riche en mucilage que la décoction de racines.

➢ La guimauve que l'on suçait autrefois pour soulager les gorges irritées était une gelée préparée à partir des racines de guimauve officinale et de sucre. Celle que l'on achète aujourd'hui est beaucoup plus éloignée de cette plante !

Houblon

Humulus lupulus

Cette plante grimpante herbacée est précieuse au balcon pour habiller un treillage, constituer un écran végétal, avec ses longues tiges qui atteignent 3-4 m de long dans la saison, même lorsqu'elle est cultivée en bac. Ses grandes feuilles dentées, rugueuses, ressemblent un peu à des feuilles de vigne. Fleurs mâles et femelles sont portées par des plantes distinctes. Plantez un pied femelle pour obtenir les cônes de fleurs entourées de bractées, verdâtres, à la fois décoratifs et dotés de propriétés médicinales et aromatiques.

Déjà connu des Romains qui consommaient les jeunes pousses comme légume (ce que l'on fait encore aujourd'hui dans certains pays d'Europe du Nord), le houblon est devenu une culture d'importance depuis qu'il est utilisé à la fois pour parfumer la bière et comme agent conservateur de celle-ci. Les débuts de cet usage du houblon remontent au XIVe siècle en Flandre. Il eut pourtant, pendant une période, la réputation d'engendrer la mélancolie.

'Aureus' est une forme à feuillage doré très décoratif.

La tisane préparée à partir des cônes séchés a des propriétés toniques, digestives et légèrement sédatives.

Une plante grimpante herbacée est une plante grimpante dont les tiges meurent en automne. La souche émet de nouvelles tiges chaque printemps.

Exposition : soleil ou mi-ombre (soleil pour la variété à feuillage doré), en évitant les situations brûlantes en été.

Plantation : plantez le houblon au printemps, en mars-avril, dans un grand pot ou bac rempli si possible de bonne terre de jardin, riche en matière organique et conservant bien la fraîcheur. Si vous utilisez un terreau de rempotage ordinaire, enrichissez-le de matière organique (compost, Or brun…).

Arrosage et engrais : arrosez régulièrement du printemps à l'automne, sans attendre que le mélange sèche en profondeur. Pensez à arroser de temps à autre en hiver, en période de temps sec et doux. Un apport annuel de paillis organique ou d'engrais à décomposition lente suffit au houblon.

Autres soins : rabattez à la base en fin d'automne les tiges flétries. Guidez les jeunes tiges de façon à ce qu'elles couvrent bien le support.

Maladies et parasites : rares.

Multiplication : par semis ou bouturage.

Récolte et séchage : choisissez jeunes feuilles et pousses intactes pour une utilisation fraîche. Pour le séchage des cônes, coupez les inflorescences femelles quand elles jaunissent, mais avant qu'elles ne sèchent sur pied car elles sont ensuite très friables. Faites-les sécher à l'air, en situation chaude et bien ventilée, à plat sur des clayettes ou bien suspendues en petits bouquets.

Utilisation : pourquoi ne pas goûter jeunes feuilles et jeunes pousses cuites comme des asperges ? Goûtez également l'infusion de cônes, qui favorise le sommeil et la relaxation. Vous pouvez aussi ajouter quelques cônes à d'autres plantes pour concocter une tisane en mélange. Séchés toujours, ces cônes apportent une touche décorative dans un pot-pourri ou peuvent garnir petit coussin ou oreiller, pour favoriser là encore le sommeil.

Hysope
Hyssopus officinalis

Natif du sud de l'Europe, ce sous-arbrisseau aromatique est très décoratif au balcon. Il forme une touffe dense de tiges dressées, jusqu'à 60-80 cm de hauteur, à feuillage persistant sous climat doux, en feuilles étroites, vert vif, très aromatiques. De la mi-été à l'automne, de longs épis de fleurs bleu-violet se développent à l'extrémité des tiges, attirant abeilles et papillons jusqu'au balcon.

Associez l'hysope dans un grand bac à d'autres bonnes herbes méditerranéennes, comme sarriette, origan, laurier ou sauge. Même seule en pot, elle apportera une note colorée et aromatique sur un appui de fenêtre ensoleillé.

Utilisée depuis l'Antiquité pour soulager les affections respiratoires, l'hysope présente également des propriétés toniques et stomachiques. L'huile essentielle est par ailleurs antiseptique. Cette propriété associée à son parfum aromatique en faisait au Moyen Âge un ingrédient intéressant pour les « jonchées » d'herbes parfumées étalées au sol afin de chasser les mauvaises odeurs !

Le saviez-vous ? L'hysope entre dans la préparation de la liqueur de chartreuse et son huile essentielle dans la fabrication de l'eau de Cologne.

Exposition : situation abritée et ensoleillée.

Plantation : plantez au printemps de préférence un jeune sujet acheté en godet, dans une terre de jardin bien drainée, plutôt calcaire, ou un terreau de rempotage ordinaire, additionné de sable grossier ou de vermiculite pour un bon drainage.

Arrosage et engrais : arrosez modérément cette plante qui ne craint pas trop la sécheresse. Attendez pour arroser que le mélange sèche sur quelques centimètres. Réduisez bien sûr les arrosages en hiver, car elle craint alors beaucoup l'humidité associée au froid.

Autres soins : en région à hivers froids et humides, placez l'hysope en situation abritée ou, mieux, rentrez-la dans un abri lumineux, hors gel (mais peu chauffé). Nettoyez la touffe en fin d'hiver ; supprimez les pousses faibles ou ayant souffert du froid.

Maladies et parasites : rares.

Multiplication : par semis ou bouturage de pousses herbacées.

Récolte et séchage : récoltez fraîches, selon les besoins, feuilles et jeunes pousses, même fleuries. En fin de printemps et début d'été, coupez de jeunes tiges feuillues, à faire sécher à l'air, suspendues en petits bouquets.

Utilisation : la saveur forte, piquante et légèrement amère, des feuilles d'hysope, parfume grillades, viandes blanches, farces de viande. Il suffit de quelques feuilles hachées pour donner du goût à un plat, mais vous pouvez aussi marier l'hysope à d'autres herbes, comme thym ou romarin. Parsemez quelques fleurs bleues sur une salade d'été. Essayez aussi l'infusion de feuilles pour calmer la toux et pour un effet légèrement sédatif. En tisane toujours, elle peut être associée à la menthe ou à la mélisse. Appliquez un cataplasme de feuilles fraîches sur une petite plaie ou coupure pour favoriser la cicatrisation. Enfin, feuilles et fleurs séchées sont précieuses pour les pots-pourris.

➢ Ne confondez pas l'hysope officinale et l'hysope anisée, qui est en réalité l'agastache, *Agastache foeniculum*.

Immortelle
Plante-curry
Helichrysum italicum

Cette espèce très variable, qui n'est que l'une des nombreuses immortelles qui se prêtent si bien au séchage et à la réalisation de bouquets secs, est particulièrement précieuse pour la culture sur un balcon très ensoleillé en été. Ce sous-arbrisseau d'origine méditerranéenne supporte et apprécie en effet chaleur et sécheresse, et se révèle très décoratif : touffe dense au fin feuillage argenté, de 40-50 cm de hauteur, à floraison estivale en nombreuses petites boules jaune orangé. Toute la plante est très aromatique,

le feuillage surtout, qui dégage une étonnante odeur de curry bien que n'entrant pas dans la préparation de la poudre de curry ! Le feuillage est d'ailleurs rarement utilisé en cuisine, et tout au plus pour aromatiser durant la cuisson, et non pour une consommation directe.

Exposition : chaude, abritée et ensoleillée ; à l'abri de la pluie en hiver car la conjonction de froid et d'humidité peut lui être fatale.

Plantation : plantez cette immortelle au printemps, dans un grand pot ou associée dans un bac ou une jardinière intégrée à d'autres plantes méditerranéennes aimant la chaleur, comme romarin, sauge, marjolaine… Une terre de jardin légère et bien drainée, plutôt calcaire, est l'idéal pour sa culture. Si vous utilisez un terreau de rempotage ordinaire, ajoutez-y si possible près d'un quart de sable grossier ou de vermiculite pour améliorer le drainage.

Arrosage et engrais : arrosez modérément en période de croissance, en laissant le mélange terreux sécher sur quelques centimètres avant d'arroser. 2 arrosages par semaine en plein été suffisent souvent. Réduisez fortement ces arrosages en hiver. Peu exigeante quant à la fertilité du sol, cette immortelle se contente d'un apport annuel de matière organique, compost ou autre.

Autres soins : en région froide, rentrez-la dans un local hors gel en période de grand froid ou protégez la plante par un voile d'hivernage. Pratiquez une taille de nettoyage en fin d'hiver pour éliminer ou raccourcir les tiges ayant souffert du froid.

Maladies et parasites : rares.

Multiplication : par bouturage.

Récolte et séchage : coupez les hampes florales en début d'épanouissement et faites-les sécher dans un endroit sombre, chaud et aéré pour que les fleurs conservent leur teinte vive. Séchez aussi des feuilles, sous forme de pousses feuillues.

Utilisation : ajoutez les fleurs séchées dans vos bouquets secs, ainsi que dans vos pots-pourris, auxquels les feuilles apporteront également une note originale. Les feuilles ont des propriétés insecticides et peuvent entrer dans la composition de sachets pour éloigner les insectes des armoires.

Joubarbe des toits
Sempervivum tectorum

Souvent appelée « artichaut », la joubarbe des toits est peu connue pour ses propriétés médicinales. Elle se prête à merveille à la composition d'un mini-jardin en auge, demandant très peu de terre et est donc un excellent sujet pour tout petit balcon ensoleillé. C'est une petite plante grasse, vivace, qui forme des rosettes de feuilles denses, charnues, vert joliment teinté de brun-rouge. Elle s'étend peu à peu par des rejets, mais les rosettes qui émettent en été une hampe florale de 15-20 cm de haut, terminée par une grappe de fleurs roses étoilées, meurent ensuite. Associez la joubarbe des toits dans une auge de pierre ou une coupe peu profonde à d'autres joubarbes décoratives, comme la curieuse joubarbe-toile-d'araignée.

Utilisée dès l'Antiquité comme remède des problèmes de peau, la joubarbe des toits eut plus tard la réputation de protéger les maisons (les toits sur lesquels elle pousse) de la foudre comme des mauvais sorts. Les feuilles fraîches renferment un mucilage adoucissant aux propriétés calmantes et anti-inflammatoires.

Exposition : chaude et ensoleillée.

Plantation : plantez la joubarbe au printemps, dans une coupe peu profonde ou une auge de pierre, remplie de terre légère, sableuse, très drainante ou un terreau pour cactées et plantes grasses. Elle peut même être plantée dans les interstices d'un dallage sur une terrasse, ou dans un muret de pierres sèches.

Arrosage et engrais : arrosez parcimonieusement, car la joubarbe supporte mieux sécheresse qu'humidité. Attendez que le mélange soit sec en profondeur pour arroser, environ 1 fois par semaine en été, guère plus. En hiver, protégez-la des fortes pluies. Apportez à 2 ou 3 reprises dans l'été un engrais liquide pour plantes grasses.

Autres soins : rempotez ou divisez les touffes quand les rosettes sont trop serrées.

Maladies et parasites : rares.

Multiplication : par semis ou séparation des rejets latéraux.

Récolte : prélevez quelques feuilles fraîches au fur et à mesure des besoins, car la plante ne convient pas pour le séchage.

Utilisation : cassez les feuilles pour faire s'écouler le jus, qui soulage peaux irritées, petites brûlures, coups de soleil, piqûres d'insecte. Pilées, les feuilles permettent de préparer compresses et lotions apaisantes et hydratantes.

Laurier-sauce

Laurier d'Apollon, laurier noble

Laurus nobilis

Cet arbuste à feuillage persistant coriace, vert foncé, aromatique, dépasse rarement 2 m de hauteur lorsqu'il est cultivé en pot ou bac sur la terrasse. Dans son habitat d'origine, le Bassin méditerranéen, il peut devenir un arbre atteignant jusqu'à 10-15 m de hauteur. Lorsqu'il atteint une certaine maturité et en situation assez chaude, il porte des fleurs jaunâtres insignifiantes, suivies de baies noir brillant.

Très décoratif et adaptable, pourvu qu'il soit protégé des fortes gelées, le laurier est précieux sur le balcon ou la terrasse pour son feuillage persistant, son port arbustif qui se prête bien à la taille et à la formation en topiaire. Il peut aussi bien figurer seul dans un bac, taillé en boule ou en pyramide par exemple, qu'être associé dans une grande jardinière intégrée à d'autres arbustes méditerranéens aromatiques.

Ses feuilles sont bien sûr très utilisées en cuisine, mais ne sont pas consommées directement car elles ont un pouvoir narcotique. Elles présentent par ailleurs des propriétés antiseptiques et insecticides. De l'Antiquité au Moyen Âge, on lui attribuait également la vertu de protéger de la foudre !

Exposition : situation abritée et ensoleillée de préférence. Il supporte aussi la mi-ombre, même s'il y est moins vigoureux.

Plantation : plantez le laurier au printemps (attendez avril en région froide) dans un grand pot ou bac rempli de terre de jardin bien drainée, ou dans un terreau de rempotage enrichi si

possible en matière organique et vermiculite ou sable grossier pour le drainage. Les terreaux très tourbeux ne conviennent guère au laurier.

Arrosage et engrais : arrosez régulièrement mais sans excès, environ 2 fois par semaine entre printemps et automne, car le laurier supporte assez bien la sécheresse estivale (moins cependant que thym ou romarin). Épargnez-lui en hiver toute humidité stagnante, car c'est souvent la conjonction du froid et de l'humidité qui lui est fatale en hiver, plus que les froids secs. Faites au printemps un apport d'engrais complet organique pour stimuler la croissance.

Autres soins : taillez-le au printemps si nécessaire, pour rectifier la silhouette ou supprimer des pousses ayant souffert du froid.

Maladies et parasites : parfois cochenilles.

Multiplication : par bouturage en été.

Récolte et séchage : cueillez les feuilles selon les besoins, en veillant à ne pas trop dénuder les pousses. La taille est une bonne occasion pour faire sécher les feuilles. Séchez-les à l'air, étalées s'il s'agit de feuilles individuelles, en rameaux suspendus autrement.

Utilisation : les feuilles perdent de leur amertume au séchage et sont au contraire plus aromatiques, aussi préférez utiliser les feuilles séchées pour la cuisine. Leur arôme poivré et épicé relève agréablement toutes sortes de viandes en sauce, ainsi que les marinades et les courts-bouillons. Le laurier entre aussi dans la composition des bouquets garnis, en particulier pour une note méditerranéenne, avec thym, romarin et sauge. Les feuilles séchées peuvent également compléter un pot-pourri ou participer à la composition de bouquets secs.

➢ Ne confondez pas le laurier-sauce, aromatique, avec les autres lauriers plantés dans les jardins, la plupart vénéneux, comme le laurier-rose, à floraison très décorative, le laurier-cerise qui est un *Prunus*, ou le laurier du Portugal, *Prunus lusitanica*.

Les lauriers de César et le baccalauréat

Dédié au dieu grec Apollon, dieu de la lumière, de la musique et de la poésie, le laurier couronnait dans l'Antiquité les poètes, puis les généraux et empereurs, et est à l'origine du mot « lauréat ». Au Moyen Âge, les titulaires d'un doctorat recevaient une couronne de baies de laurier, à l'origine du « baccalauréat » (bacca laurea pour baies de laurier, en latin) !

Lavande

Lavande vraie, lavande officinale

Lavandula angustifolia

Si le nom de lavande s'applique à plusieurs espèces et à de nombreuses variétés horticoles, c'est la lavande vraie, Lavandula angustifolia *qui est à la fois la plus cultivée dans les jardins et celle qui possède les propriétés aromatiques et médicinales les plus marquées. Native des collines méditerranéennes, c'est un petit arbuste de 60 cm à 1 m de hauteur, à feuillage persistant étroit, gris-vert, à floraison estivale très parfumée, en épis bleu-violet. Il en existe des variétés plus compactes, qui se prêtent bien à la culture en pots, des formes à fleurs blanches, roses à violet foncé, comme 'Hidcote', remarquablement parfumée. Les Romains déjà appréciaient le parfum si caractéristique de la lavande.*

La lavande-papillon, aux épis de fleurs porteurs de longues bractées roses, est moins rustique, à réserver aux climats doux. L'essence de lavande est bien sûr très utilisée en parfumerie, mais présente aussi des propriétés antiseptiques, désinfectantes et insecticides. Elle est également indiquée pour calmer les maux de tête. Les fleurs sont plus riches en huile essentielle que les feuilles et tiges.

Exposition : chaude et ensoleillée.

Plantation : plantez la lavande au printemps de préférence, dans un grand pot ou bac. Sur une grande terrasse, elle peut constituer une bordure aussi décorative que parfumée ! Plantez-la si possible dans une terre de jardin bien drainée. Évitez les terreaux tourbeux qui ne lui conviennent guère.

Arrosage et engrais : arrosez modérément cet arbuste qui ne craint guère la sécheresse. Attendez toujours pour arroser que le mélange terreux soit sec sur quelques centimètres. Faites un apport d'engrais complet au printemps.

Autres soins : taillez la lavande en 2 temps : coupez les épis de fleurs fanées juste au-dessus du feuillage en fin d'été. Puis, en fin d'hiver, rectifiez la forme d'ensemble du buisson en raccourcissant légèrement les tiges, mais sans jamais rabattre jusqu'à la souche, car elle n'aurait guère de chances de reprise.

Maladies et parasites : rares (elle éloigne au contraire les parasites des plantes voisines !).

Multiplication : par bouturage en été.

Récolte et séchage : cueillez fleurs et feuilles à utiliser fraîches selon les besoins. Pour le séchage, coupez les épis floraux en début d'épanouissement, en les coupant au-dessus des feuilles. Suspendez-les en petits bouquets dans un local sombre, chaud et sec pour que les fleurs conservent leur couleur le mieux possible.

Utilisation : rarement utilisée chez nous à des fins culinaires, la lavande peut cependant aromatiser certains plats : des viandes peuvent ainsi être parfumées avec quelques feuilles, tandis que les fleurs confites dans du sucre parfument celui-ci agréablement (par exemple, pour confectionner ensuite de petits gâteaux). Elles peuvent aussi apporter une touche aromatique originale dans une confiture.

Mais la lavande sert surtout à préparer des pots-pourris et petits bouquets parfumés, elle entre dans la composition de sachets de senteur, pour parfumer agréablement le linge tout en éloignant les mites. La tisane de lavande calme nervosité et migraine.

➢ Les fleurs de lavande étant très parfumées, inutile d'en mettre beaucoup pour préparer une infusion : 1 cuillerée à soupe suffit pour 3-4 tasses.

Livèche

Ache des montagnes, céleri perpétuel

Levisticum officinale

Cette robuste plante vivace peut atteindre, même cultivée en bac, 1,50 m de hauteur. Native de l'est du Bassin méditerranéen, elle est intéressante pour son feuillage vert vif fortement

aromatique, sa stature imposante, sa floraison en ombelles jaune-vert en été, suivies de petits fruits aromatiques également, appelés graines. Les grandes feuilles composées vert brillant à la face supérieure ressemblent à celles du céleri et en ont le parfum.
La livèche était cultivée au Moyen Âge dans tous les « jardins de simples » des monastères et des châteaux, appréciée pour ses vertus digestives, expectorantes, antiseptiques. On utilisait alors feuilles, tiges et graines, mais aussi les racines, bouillies, en décoction.
Adoptez sans hésiter cette grande plante de culture facile, qui donnera du volume aux plantations dans une grande jardinière intégrée.

Exposition : soleil ou mi-ombre, mais supporte aussi l'ombre.
Plantation : plantez au printemps un sujet acheté en godet ou issu de division, dans un grand pot ou mieux dans un grand bac en compagnie d'autres plantes aromatiques appréciant une certaine fraîcheur, comme mélisse, camomille, persil... Plantez-la dans toute terre de jardin bien drainée ou terreau de rempotage ordinaire.
Arrosage et engrais : arrosez régulièrement, dès que le mélange terreux est sec en surface. Évitez les sécheresses prolongées en période de végétation, car le feuillage risque de jaunir, même si la survie de la plante n'est pas pour autant compromise. Apportez au printemps un engrais complet d'origine organique.
Autres soins : rabattez les touffes à la base en fin d'automne, quand les premières gelées ont noirci les tiges. Si vous préférez privilégier le développement du feuillage, pour disposer toute la saison de jeunes pousses fraîches, bien vertes, supprimez les inflorescences quand elles se forment (mais la plante fleurie ne manque pas de panache !).

Maladies et parasites : parfois pucerons noirs.

Multiplication : facile par division des touffes ou semis.

Récolte et séchage : cueillez pousses et belles feuilles fraîches au fur et à mesure des besoins, pour les utiliser à des fins culinaires. Coupez et faites sécher en fin de printemps de belles feuilles, pour en faire des tisanes. Séchez-les à l'air. Si vous souhaitez récolter les graines, coupez les inflorescences quand les graines commencent à brunir et faites-les sécher tête en bas au-dessus d'une mousseline où vous recueillerez les graines.

Utilisation : hachez 1 ou 2 belles feuilles fraîches dans un potage, sur un plat de pommes de terre cuites à la vapeur, ou dans une sauce de viande. Elles peuvent aussi remplacer les fines herbes avec le fromage blanc. Les graines séchées peuvent aromatiser pain ou gâteaux secs comme des graines de pavot ou de fenouil. Quant à la tisane préparée à partir de feuilles séchées, elle soulage la toux, favorise la digestion et calme la fièvre.

➢ Les feuilles fraîches ont une saveur forte qui peut masquer le goût des aliments si vous les utilisez en trop grande quantité.

Marjolaine

Origanum marjorana

Cette vivace semi-rustique, souvent cultivée en annuelle, pousse à l'état sauvage sur les coteaux méditerranéens bien drainés. Elle forme des touffes de tiges lâches, jusqu'à 50-60 cm de hauteur, à floraison estivale en petites grappes blanches à l'extrémité des tiges.

Les feuilles ont un parfum moins piquant que l'origan, plus doux mais aussi plus aromatique, tandis que l'huile essentielle est toujours utilisée en parfumerie. En cuisine, on utilise un peu indifféremment origan ou marjolaine, selon les disponibilités et les goûts individuels. Essayez les deux pour vous faire votre propre opinion !
Très proche et souvent confondue avec l'origan (lequel est également appelé marjolaine sauvage, ce qui ajoute à la confusion), la marjolaine s'en distingue par une plus faible rusticité, en raison de laquelle elle est souvent cultivée en annuelle en région froide, par des tiges plus grêles, moins lignifiées à la base, par des feuilles plus pâles, légèrement grisâtres.

Exposition : abritée et ensoleillée.
Plantation : plantez la marjolaine en avril-mai, à partir de plants achetés en godets ou élevés de semis, dans un pot ou associée dans un bac ou une jardinière à d'autres plantes aromatiques méditerranéennes. Plantez-la dans une terre de

jardin bien drainée ou un terreau de rempotage ordinaire additionné de sable grossier ou de vermiculite pour améliorer le drainage.

Arrosage et engrais : arrosez modérément sans pour autant imposer à la marjolaine une sécheresse prolongée. 2 arrosages par semaine suffisent le plus souvent en été. Inutile de faire des apports d'engrais si vous la renouvelez chaque année.

Autres soins : pincez les jeunes tiges pour qu'elles buissonnent rapidement.

Maladies et parasites : parfois pucerons.

Multiplication : par semis ou division des touffes.

Récolte et séchage : prélevez feuilles et pousses fleuries au fur et à mesure des besoins pour les utiliser fraîches. Pour le séchage, coupez les tiges en début de floraison et faites-les sécher en petits bouquets suspendus tête en bas en situation sombre et bien ventilée.

Utilisation : fraîches ou séchées, les feuilles de marjolaine entrent dans la composition des « herbes de Provence ». Ajoutez aussi quelques feuilles fraîches à vos salades d'été, aux farces de viande et plats en sauce. L'infusion de feuilles et fleurs, fraîches ou séchées, facilite la digestion, soulage le rhume et calme les états nerveux. Utilisez également les feuilles séchées pour préparer vos sachets de senteurs, à glisser dans les armoires pour parfumer le linge.

Mauve sylvestre

Grande mauve

Malva sylvestris

Plante proche de la guimauve, cette grande mauve est une plante vivace ou bisannuelle, originaire d'Europe et du sud-ouest de l'Asie. De hauteur très variable, elle peut dépasser 1 m, avec des tiges dressées à étalées, de grandes feuilles lobées et dentées. Tout l'été se succèdent de jolies fleurs de mauve, roses veinées de pourpre. La mauve musquée, Malva moschata *est une espèce proche, aux propriétés médicinales moins marquées, mais très décorative associée à d'autres plantes dans un grand bac, par son feuillage finement découpé, sa généreuse floraison blanche ou rose. La mauve sylvestre fut pendant des siècles, depuis l'époque romaine, un légume dont on consommait les feuilles, crues ou cuites. On vantait également ses propriétés purgatives, mais elle est aujourd'hui surtout appréciée pour sa forte teneur en mucilage adoucissant, comme la guimauve, intéressant pour calmer les irritations de la gorge.*

Exposition : situation ensoleillée et abritée du vent.

Plantation : plantez la mauve sylvestre au printemps, dans un grand pot ou bac car sa racine pivotante demande de la place pour se développer. Plantez-la dans une terre de jardin bien drainée, ou un terreau de rempotage ordinaire, si possible additionné de sable grossier ou de vermiculite pour en améliorer le drainage.

Arrosage et engrais : arrosez régulièrement mais sans excès car elle supporte une sécheresse passagère. Attendez pour arroser que le terreau sèche sur quelques centimètres. Épargnez-lui en hiver toute humidité stagnante. Faites un apport de matière organique ou d'engrais complet au printemps.

Autres soins : tuteurez les hautes tiges si nécessaire. Rabattez en fin d'automne les tiges abîmées par les premiers froids.

Maladies et parasites : surveillez la rouille, qui touche fréquemment les mauves comme les roses trémières.

Multiplication : par semis ou division des touffes, au printemps ou en septembre.

Récolte et séchage : coupez feuilles et jeunes pousses, voire fleurs, utilisées fraîches au fur et à mesure des besoins. Pour le séchage, récoltez de belles feuilles en début d'été et faites-les sécher à plat sur des clayettes.

Utilisation : ajoutez quelques fleurs ou pétales, comestibles pour décorer une salade. Essayez aussi, pourquoi pas, jeunes feuilles et jeunes pousses, crues ou blanchies, riches en vitamines. L'infusion de feuilles soulage la toux et les gorges irritées. Appliquez un cataplasme de feuilles fraîches pour calmer peau irritée ou piqûre d'insecte.

Mélilot

Mélilot jaune

Melilotus officinalis

Bisannuelle souvent cultivée comme annuelle, poussant à l'état spontané au bord des champs ou le long des chemins en Europe et Asie, le mélilot peut dépasser 1 m de hauteur avec ses tiges grêles, étalées à dressées, ses feuilles vert vif à 3 folioles étroites, dentées. Il porte jusqu'en automne des épis de petites fleurs jaunes, assez discrètes mais dégageant un parfum de miel qui attire immanquablement les abeilles.

Le mélilot était utilisé au Moyen Âge comme ingrédient des « jonchées », plantes séchées étalées au sol pour éloigner les mauvaises odeurs des maisons. Une fois sec, en effet, il dégage une agréable odeur de foin, due à la présence de coumarine.

Il est parfois utilisé comme engrais vert, car c'est une légumineuse riche en azote. Enfin le mélilot a des vertus médicinales, anti-inflammatoires et antiseptiques notamment.

Exposition : soleil.

Semis : semez en place quelques graines de mélilot dans une grande jardinière, en automne ou au printemps, dans une terre légère, bien drainée, ou un terreau de rempotage additionné de sable grossier ou de vermiculite. Respectez un espacement d'au moins 20-25 cm entre les plants.

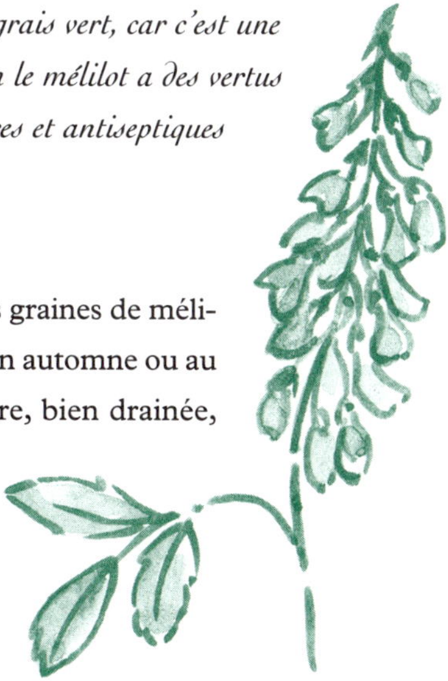

Arrosage et engrais : arrosez régulièrement les semis, puis espacez les arrosages car le mélilot ne craint guère la sécheresse. 2 arrosages par semaine en plein été suffisent généralement. Inutile de faire des apports d'engrais.

Maladies et parasites : rares.

Multiplication : par semis.

Récolte et séchage : prélevez les feuilles fraîches au fur et à mesure des besoins ; pour le séchage des fleurs, coupez les pousses fleuries en début d'épanouissement, et séchez-les à plat ou en petits bouquets.

Utilisation : vous pouvez appliquer un cataplasme de feuilles fraîches sur les petites coupures et contusions, car elles ont des propriétés antiseptiques et anti-inflammatoires. Ajoutez des fleurs séchées dans vos pots-pourris et surtout dans des sachets antimites à glisser dans les armoires, apportant un parfum agréable tout en éloignant les insectes.

Mélisse

Mélisse officinale, citronnelle, mélisse-citronnelle

Melissa officinalis

Cette plante vivace forme des touffes buissonnantes de 60-80 cm de hauteur, 50-60 cm de largeur, à feuilles gaufrées vert frais, finement dentées, à l'arôme citronné lorsqu'on les froisse. La floraison estivale blanche à mauve est assez insignifiante. Elle est originaire du sud de l'Europe. Il en existe des variétés panachées, très décoratives dans une jardinière, comme 'Aurea', aux jeunes pousses dorées virant peu à peu au vert, ou 'Variegata', panachée de jaune d'or. La mélisse est appréciée depuis des siècles pour ses propriétés sédatives et relaxantes, mais aussi toniques, utilisées autrefois pour soigner les dépressions. Ses feuilles au goût citronné apportent une note fraîche dans les préparations culinaires.

Exposition : soleil ou mi-ombre ; mi-ombre impérativement pour les formes panachées qui craignent le plein soleil.

Plantation : mettez la mélisse en place en avril-mai, dans un pot assez large ou une jardinière remplis de bonne terre de jardin ou de terreau de rempotage ordinaire. Attention, la mélisse peut se révéler envahissante associée dans un bac à d'autres plantes moins vigoureuses.

Arrosage et engrais : arrosez généreusement les jeunes sujets, chaque jour en période de canicule, un peu moins les plantes établies (2 fois par semaine en été, 1 fois au printemps et en automne, tous les 10 jours en hiver en période sèche et hors gel). Au printemps et en été, faites toutes les 3-4 semaines des apports d'engrais liquide ordinaire.

Autres soins : pincez les jeunes pousses pour qu'elles se ramifient. Supprimez éventuellement les fleurs qui se forment en pinçant l'extrémité des tiges, de façon à conserver des dômes de feuillage bien compact. Rabattez les tiges à la base en automne, après les premières gelées.

Maladies et parasites : rares.

Multiplication : facile, par division des touffes ou semis au printemps.

Récolte et séchage : récoltez les feuilles fraîches à tout moment en période de végétation. Cueillez celles destinées au séchage (ou des pousses) peu avant la floraison, c'est le moment où elles sont le plus parfumées. Faites-les sécher étalées ou en petits bouquets, dans un local sombre et bien ventilé, pour qu'elles conservent leur couleur et leur arôme.

Utilisation : ajoutez quelques feuilles au goût citronné dans vos salades d'été, salades de légumes comme salades de fruits, ou encore dans les farces ou les omelettes. Un brin de mélisse peut aussi parfumer le vinaigre. La tisane de mélisse, très parfumée, tonique et rafraîchissante, soulage les maux de tête, calme la nervosité et facilite la digestion. Un cataplasme de feuilles fraîches soulage écorchures et piqûres d'insectes.

Menthe

Mentha

Le nom de menthe rassemble plusieurs espèces et nombre de variétés de plantes vivaces à port généralement rampant, toutes présentant des propriétés médicinales et aromatiques intéressantes. Ajoutons qu'elles sont faciles à cultiver en pots, ce qui les rend quasi incontournables sur un balcon ou une terrasse accueillant ne serait-ce que quelques bonnes herbes. Par leur diversité de saveurs et de feuillages, les menthes se prêtent en outre à la réalisation d'une charmante collection de plantes parfumées, dont vous alignerez ou déplacerez les pots à votre guise. La plus commune est sans doute la **menthe verte**, Mentha spicata, native des montagnes d'Europe, aux feuilles vert vif dentées, au parfum mentholé bien sûr, aux petites fleurs blanches ou mauves en été. Elle atteint en général 50-70 cm de hauteur. Découvrez aussi sa variété 'Maroccan', utilisée au Maroc pour préparer le thé à la menthe, la **menthe poivrée**, Mentha x piperita, au feuillage sombre, très parfumé, à saveur piquante, la petite **menthe de Corse**, Mentha requienii, tapissante, qui peut faire un couvre-sol ; la **menthe pouliot**, Mentha pulegium, au parfum très frais, qui se plaît en situation fraîche et ombragée. Pour varier les parfums, recherchez les cultivars comme la **menthe bergamote**, au parfum d'agrume, la **menthe 'Orange'**, la **menthe 'Eau de Cologne'**... Pour l'œil, choisissez les variétés panachées, comme la menthe-ananas panachée, Mentha suaveolens 'Variegata'. Déjà utilisée par les Romain pour son agréable parfum, la menthe fut aussi utilisée plu tard dans la composition des jonchées odorantes destinées

à éloigner les mauvaises odeurs. Elle est depuis longtemps connue également pour ses propriétés antiseptiques, digestives et stimulantes.

Exposition : soleil ou ombre, en évitant les expositions très chaudes.

Plantation : plantez la ou les menthes au printemps, dans toute terre de jardin bien drainée comme dans un terreau de rempotage ordinaire, car les menthes sont peu exigeantes quant au sol.

Arrosage et engrais : arrosez régulièrement les potées de menthe, sans laisser le terreau sécher en profondeur car le feuillage pourrait s'affaisser. Apportez au printemps du compost bien décomposé ou un peu d'engrais complet.

Autres soins : rabattez les tiges à la base en fin d'automne. Arrachez au besoin les tiges trop envahissantes. Divisez les touffes quand elles sont trop à l'étroit dans leur pot.

Maladies et parasites : parfois oïdium, ou une forme de rouille spécifique des menthes. Rabattez alors à la base les tiges atteintes.

Multiplication : très facile par division des touffes au printemps ou en début d'automne.

Récolte et séchage : récoltez de préférence des feuilles fraîches, les plus parfumées, au fur et à mesure des besoins, entre printemps et automne. Pour le séchage, coupez de belles pousses juste avant la floraison et faites-les sécher en petits bouquets suspendus tête en bas dans un local sombre et sec.

Utilisation : la menthe peut être utilisée de multiples façons à la cuisine : essayez sirop de menthe et glace à la menthe, ajoutez quelques feuilles fraîches dans les salades d'été, les taboulés bien sûr, mais aussi dans les salades de fruits, les jardinières de légumes et les yaourts, pourquoi pas avec des grillades de viande ou de poisson. La tisane préparée à partir de feuilles fraîches ou séchées est tonique et digestive, recommandée également pour ses vertus décongestionnantes en cas de rhume. Associez-la à d'autres bonnes herbes comme verveine, tilleul, hysope…

La menthe, les cultivars parfumés en particulier, peut aussi entrer dans la composition des pots-pourris et sachets de senteurs.

➢ Mâchez quelques feuilles de menthe pour soulager une rage de dents !

➢ La menthe est bien connue pour être envahissante au jardin. Au balcon, préférez la contenir dans un pot ou une petite jardinière qui lui sera consacrée. Pour l'associer dans un bac à d'autres plantes, empêchez l'étalement des racines en enfonçant verticalement dans le sol autour de la touffe des plaques rigides de plastique ou de tôle.

Millepertuis

Herbe-à-mille-trous

Hypericum perforatum

Moins élégant peut-être que certaines espèces proches, arbustives, cultivées dans les jardins, ce millepertuis commun est une grande vivace qui pousse sur sol sec en Europe et en Asie. Il ne manque pas de charme sur un balcon ensoleillé, déployant

jusqu'à près de 1 m ses tiges fines, lignifiées à la base, à petites feuilles étroites, ovales, au parfum légèrement balsamique. Observées par transparence dans la lumière, ces feuilles montrent de multiples ponctuations translucides, d'où le nom d'« herbe-à-mille-trous ». Les tiges portent tout l'été à l'extrémité des pousses des fleurs jaunes à gros bouquet d'étamines dorées. Cette plante a fait l'objet autrefois de nombreuses croyances, censée éloigner les mauvais esprits et la foudre, ou aider les jeunes filles à trouver un mari ! Elle est utilisée dans l'industrie pharmaceutique pour le traitement des états nerveux et des dépressions, mais aussi en usage externe dans des huiles ou crèmes destinées à apaiser les brûlures et les douleurs musculaires. Soupçonné d'être toxique dans certaines conditions, mieux vaut réserver le millepertuis à un usage externe.

Exposition : situation chaude et ensoleillée.

Plantation : plantez le millepertuis au printemps, seul dans un grand pot, ou avec d'autres vivaces ou arbustes appréciant des conditions sèches. Il se marie bien, par exemple, au romarin, à la sauge, apportant le bonus de sa longue floraison. Plantez-le dans une terre de jardin bien drainée, même légère et sableuse. Si vous ne disposez que de terreau de rempotage ordinaire, ajoutez-y sable grossier ou perlite pour un meilleur drainage.

Arrosage et engrais : arrosez modérément le millepertuis, qui supporte assez bien la sécheresse. Attendez entre deux arrosages que le mélange terreux sèche sur quelques centimètres au moins. Faites si possible un apport de compost au printemps ; sinon apportez un engrais complet à diffusion lente, en début de saison toujours.

Autres soins : rabattez en fin d'automne ou fin d'hiver les tiges abîmées par le gel. Pincez au besoin les jeunes pousses au printemps pour les inciter à se ramifier.

Maladies et parasites : rares.

Multiplication : par division des touffes ou par semis, au printemps.

Récolte et séchage : on utilise les sommités fleuries (extrémités des tiges portant feuilles et fleurs), fraîches ou séchées. Dans les deux cas, coupez-les quand quelques fleurs sont bien épanouies.

Utilisation : préparez une huile de massage en faisant macérer au chaud des sommités fleuries dans une huile de type huile de tournesol, peu parfumée. Après filtration, conservez cette huile dans un bocal ou une bouteille étanche. Utilisez-la pour des massages en cas de douleurs musculaires, de foulure ou de sciatique. Elle calme aussi les petites brûlures.

Monarde

Monarda didyma

Cette belle plante vivace, qui pousse à l'état sauvage dans les zones boisées de l'est de l'Amérique du Nord, offre une floraison remarquable. Ses touffes atteignent 60-80 cm de hauteur, 40-50 cm de diamètre. Des verticilles de fleurs écarlates, entourées de bractées rouge foncé, couronnent en été les tiges dressées, aux feuilles lancéolées, pointues, au parfum aromatique lorsqu'on les froisse. Ce parfum évoque un peu l'eau de Cologne pour les jeunes pousses, puis la bergamote. Il en existe une variété à fleurs blanches.

Les feuilles séchées étaient utilisées comme du thé par certains Indiens d'Amérique. Elles ont par ailleurs des propriétés antiseptiques et anti-inflammatoires.

Exposition : soleil ou ombre légère, en évitant les situations sèches.

Plantation : plantez la monarde en mars-avril, seule ou par 3 ou 5 jeunes sujets espacés de 30 cm, dans une grande jardinière où elle sera associée à d'autres plantes médicinales et aromatiques qu'elle égaiera de sa floraison. Utilisez de préférence une terre de jardin bien drainée, riche en matière organique. Un terreau de rempotage enrichi en compost et sable grossier conviendra aussi.

Arrosage et engrais : arrosez régulièrement, de façon à maintenir le mélange de culture légèrement humide en permanence, car la monarde supporte mal la sécheresse. Évitez cependant toute humidité stagnante, en hiver surtout. Faites un apport de compost ou d'engrais complet au printemps.

Autres soins : soutenez les tiges si nécessaire en situation ventée. Rabattez les touffes à la base quand les tiges ont noirci après les premiers froids.

Maladies et parasites : oïdium en cas d'été chaud et sec, d'arrosages irréguliers.

Multiplication : par division des touffes ou semis.

Récolte et séchage : récoltez les feuilles fraîches selon les besoins. Pour le séchage, récoltez les feuilles juste avant la floraison et séchez-les à plat ; les fleurs, en début d'épanouissement des verticilles, pour les sécher à plat également.

Utilisation : utilisez les fleurs séchées pour une note colorée dans les pots-pourris et renforcez-en l'arôme de bergamote par des feuilles séchées. Goûtez l'infusion de feuilles de monarde qui stimule l'appétit, facilite la digestion et favorise le sommeil. Les feuilles peuvent également aromatiser un vin chaud !

Moutarde noire

Brassica nigra

La moutarde noire est une annuelle qui peut dépasser 1 m de hauteur même en jardinière, aux feuilles vert vif, à saveur piquante, étroites vers le haut des tiges, plus larges à la base. Elle forme en été des bouquets de petites fleurs jaunes à 4 pétales en croix, typiques des crucifères, suivies de siliques fines renfermant les graines noires utilisées pour la fabrication de la moutarde-condiment. Elle est aujourd'hui remplacée dans la fabrication du condiment par les graines de la moutarde brune, Brassica juncea*, moins piquantes. La moutarde blanche,* Sinapis alba*, est une autre plante proche, à floraison jaune toujours et graines claires. Si la fabrication de la moutarde ne remonte pas plus loin que le XIVe siècle, les graines de la plante sont utilisées depuis l'Antiquité pour leurs propriétés médicinales, notamment sous forme de cataplasmes pour soulager rhumatismes et engelures. Les graines entières de l'une ou l'autre moutarde peuvent servir de condiment dans la cuisine, utilisées notamment dans la cuisine asiatique.*

Exposition : situation ensoleillée.

Semis : semez la moutarde en place, au printemps, dans une coupe ou jardinière remplie de terre de jardin fertile et bien drainée ou de terreau de rempotage. Éclaircissez plus ou moins les plants selon que vous voulez les laisser se développer ou utiliser très rapidement les jeunes pousses en renouvelant les semis dans la saison.

Arrosage et engrais : arrosez régulièrement mais sans excès : maintenez le terreau des semis légèrement humide en début de croissance. Par la suite, espacez les arrosages de façon à laisser sécher le mélange sur 2-3 cm avant d'arroser. Inutile de faire des apports d'engrais.

Maladies et parasites : rares.

Multiplication : par semis au printemps.

Récolte et séchage : récoltez les jeunes feuilles au fur et à mesure des besoins. Pour la récolte des graines, coupez les siliques quand elles commencent à brunir et sécher, puis suspendez-les dans un local bien ventilé pour qu'elles finissent de sécher et libèrent leurs graines.

Utilisation : utilisez les jeunes feuilles hachées dans les salades ou avec les légumes, comme du cresson. Ajoutez des graines à vos plats en sauce pour une petite saveur piquante.

Myrte

Myrtus communis

Cet arbuste méditerranéen qui atteint jusqu'à 4-5 m de hauteur dans son habitat naturel ne dépasse guère 1 à 2 m lorsqu'il est cultivé en bac. Il est très décoratif au balcon par son port arbustif, son fin feuillage persistant vert sombre, aromatique et sa floraison estivale en fleurs odorantes blanc crème, à gros bouquets d'étamines crème également. Des baies noir bleuté succèdent aux fleurs en fin d'été.

Semi-rustique, le myrte craint les fortes gelées. En région froide, rentrez-le pour l'hiver dans une véranda ou une pièce lumineuse, hors gel. Il en existe des cultivars nains, bien adaptés à la culture en bac, ainsi qu'une forme à fleurs doubles.

Apprécié dès l'Antiquité, le myrte était dédié à Aphrodite, déesse de l'amour, rite qui s'est poursuivi presque jusqu'à nos jours puisque les brins de myrte ont pendant longtemps figuré dans les bouquets et couronnes des mariées. Ses vertus médicinales, antiseptiques, stomachiques et pectorales étaient déjà utilisées par les Grecs et les Romains, de même que ses qualités aromatiques, précieuses pour cosmétique et parfumerie.

Exposition : ensoleillée et abritée.

Plantation : plantez le myrte courant mai, de préférence seul dans un grand pot ou bac s'il vous faut le rentrer en hiver, rempli de terre de jardin bien drainée ou de terreau de rempotage ordinaire, additionné de sable grossier ou de vermiculite.

Arrosage et engrais : arrosez régulièrement, avec une eau non calcaire de préférence, en période de croissance. Attendez pour arroser que le terreau soit sec sur 2-3 cm, mais ne le laissez pas sécher en profondeur. Réduisez très nettement les arrosages en hiver. Apportez-lui au printemps un engrais complet à diffusion lente, ou bien faites des apports d'engrais liquide toutes les 3 semaines entre mai et août.

Autres soins : pincez les pousses des jeunes plantes pour les inciter à buissonner. Rempotez chaque année les jeunes sujets. Ne taillez en fin d'hiver que pour éliminer les pousses faibles, abîmées ou pour rectifier la silhouette. Évitez tout excès d'humidité en hiver.

Maladies et parasites : parfois cochenilles après un hivernage en situation trop chaude.

Multiplication : par bouturage en fin d'été.

Récolte et séchage : prélevez les feuilles fraîches en petite quantité, au fur et à mesure des besoins, tout au long de l'année puisque le feuillage est persistant. Pour le séchage, récoltez-les en début d'été et séchez-les à l'air sur une toile. Cueillez les boutons floraux encore fermés, les fleurs destinées au séchage en tout début d'épanouissement.

Utilisation : les baies comestibles sont utilisées au Moyen-Orient pour parfumer gibiers et viandes en sauce, comme des baies de genièvre. Les boutons floraux ajoutés dans les pâtisseries apportent un arôme de fleur d'oranger. Les fleurs séchées feront bel effet dans un pot-pourri. Mais les plus précieuses sont sans doute les feuilles, au parfum très aromatique lorsqu'on les froisse. En infusion, elles soulagent rhume ou bronchite, facilitent la digestion. En décoction, elles sont appliquées sur les contusions ou entorses.

➢ Un myrte formé sur tige sera très décoratif sur un balcon.

Népéta

Herbe-aux-chats, cataire

Nepeta cataria

Cette plante vivace qui pousse en Europe et Asie, le long des haies et des chemins, forme des touffes de tiges lâches, à feuilles dentées ressemblant aux feuilles d'ortie, couronnées en été de verticilles de fleurs blanches groupées vers l'extrémité des tiges. Elle atteint jusqu'à 1 m de hauteur. Son feuillage très aromatique, au parfum mentholé, attire irrésistiblement les chats !

Légèrement sédative et fébrifuge, cette herbe a connu au fil des siècles des utilisations variées, par exemple comme succédané du thé ou du tabac !

Nepeta x faassenii, *hybride horticole issu du croisement entre deux espèces de népétas, est très planté dans les jardins, souvent associé aux rosiers. C'est une vivace très élégante, au fin feuillage gris-vert, à longue floraison bleu-violet. Son feuillage est aromatique également et elle se prête aussi à la plantation en pot ou bac, bien que ne présentant pas les mêmes propriétés.*

Exposition : soleil de préférence, ou ombre légère.

Plantation : plantez l'herbe-aux-chats au printemps ou en septembre-octobre, seule en pot ou dans un bac avec d'autres plantes aromatiques appréciant un sol frais, comme mélisse ou livèche. Utilisez toute bonne terre de jardin bien drainée, ou un terreau de rempotage ordinaire.

Arrosage et engrais : du printemps à la fin de l'été, arrosez régulièrement, de façon à ce que le mélange de culture demeure légèrement humide en permanence. La plante supporte cependant des sécheresses passagères. Faites des apports mensuels d'engrais liquide entre mai et août.

Autres soins : rabattez les tiges à la base après les premières gelées.

Maladies et parasites : rares.

Multiplication : par division des touffes au printemps.

Récolte et séchage : pour une utilisation fraîche, coupez des pousses fleuries ou non, au fur et à mesure des besoins, dans l'été. Pour le séchage, cueillez les tiges florales en début de floraison et séchez-les à l'air, en petits bouquets.

Utilisation : Essayez l'herbe-aux-chats en tisane au parfum de menthe fraîche, seule ou associée à d'autres aromates. Elle calme fièvre, rhume et digestion difficile. Les feuilles fraîches appliquées en cataplasme soulagent les hématomes et petites blessures.

➢ Si vous avez un chat, confectionnez-lui une balle bourrée de feuilles et pousses séchées de cataire, il appréciera !

Nigelle aromatique

Nigelle cultivée, quatre-épices

Nigella sativa

Cette petite plante annuelle qui pousse sur sol pauvre dans le Bassin méditerranéen et le sud-ouest asiatique forme des touffes denses de 20-30 cm de hauteur, à nombreuses tiges au feuillage finement découpé, aux jolies fleurs blanches à bleutées suivies dans l'été de capsules renflées décoratives également, renfermant des graines noires.

Si elle n'a pas tout à fait le charme de la nigelle de Damas, plus aérienne et aux fleurs d'un bleu plus soutenu, cette petite annuelle apportera au balcon une touche de feuillage léger, une floraison intéressante, et surtout des graines aux vertus précieuses. Ces graines aromatiques au goût poivré possèdent des propriétés insecticides et vermifuges, facilitent la digestion.

Exposition : soleil.

Semis : semez la nigelle en place au printemps, en surface d'une coupe ou jardinière remplie de terre de jardin légère et bien drainée ou de terreau de rempotage additionné d'au moins un quart de sable grossier. Éclaircissez les plants à 15-20 cm de distance.

Arrosage et engrais : arrosez régulièrement les semis. Par la suite, espacez les arrosages de cette plante qui ne craint pas trop la sécheresse. 2 arrosages par semaine en été devraient suffire. Inutile de faire des apports d'engrais, car la nigelle est annuelle et prospère sur sol pauvre !

Maladies et parasites : rares.

Multiplication : par semis au printemps.

Récolte et séchage : pour la récolte des graines, coupez les tiges portant les fruits quand ceux-ci commencent à sécher et passer du vert au brun clair. Suspendez-les en petits bouquets, tête en bas, au-dessus d'une toile ou mousseline sur laquelle vous recueillerez les graines à maturité, dans un local chaud et sec. Vous pouvez aussi faire sécher fleurs et fruits pour les bouquets secs. Choisissez alors des tiges portant quelques fleurs en début d'épanouissement, quelques fruits avant maturité.

Utilisation : les graines noires aromatiques sont utilisées en Inde et au Moyen-Orient dans des mélanges d'épices. Parfumez-en les curries, plats de haricots et fèves, viandes en sauce. Vous pouvez aussi en incorporer dans les sachets insecticides glissés dans le linge des armoires. Enfin, les fleurs et fruits séchés font bel effet dans les compositions séchées.

Origan

Marjolaine sauvage

Origanum vulgare

Plante vivace présente à l'état sauvage en Europe, Asie tempérée et particulièrement dans le Bassin méditerranéen, l'origan est indispensable sur un balcon ensoleillé consacré pour tout ou partie aux bonnes herbes. Outre son arôme piquant, il a sa place comme plante ornementale et il en existe des cultivars particulièrement décoratifs, certains à feuillage doré ou panaché. Ces derniers sont cependant généralement moins parfumés que l'espèce (ne vous en privez pas cependant !). L'origan pousse en touffe dense, de 25-50 cm de hauteur, avec des tiges fines, étalées à dressées, portant de petites feuilles ovales à arrondies, vert foncé, souvent avec une pointe de brun. Il porte tout l'été des bouquets de petites fleurs rouge sombre en boutons, roses à l'épanouissement, parfois presque blanches.

Ces fleurs sont très visitées par les abeilles.
Apprécié en cuisine pour son parfum poivré rappelant le thym, traditionnel ingrédient des bouquets garnis, l'origan est aussi une plante médicinale aux propriétés antiseptiques, toniques, vulnéraires, et utilisée contre les affections respiratoires.

Exposition : situation abritée et bien ensoleillée.

Plantation : plantez l'origan en avril-mai ou septembre, seul dans un pot ou en compagnie d'autres plantes aromatiques aimant chaleur et soleil comme thym, sauge ou romarin. Plantez-le dans une terre bien drainée, légère, de préférence calcaire, ou un terreau de rempotage ordinaire additionné d'un quart de sable ou de vermiculite pour l'alléger.

Arrosage et engrais : arrosez-le modérément car, même en pot, il supporte une sécheresse passagère et sera au contraire moins parfumé s'il est trop arrosé. Attendez toujours pour arroser que le terreau soit sec sur quelques centimètres de profondeur. Faites un apport de compost au printemps ou en automne, ou bien faites 3 apports d'engrais liquide entre fin de printemps et été.

Autres soins : pincez l'extrémité des tiges des jeunes sujets pour les inciter à bien se ramifier. En hiver, placez l'origan en situation abritée par grand froid et évitez-lui surtout toute humidité stagnante, fatale.

Maladies et parasites : rares.

Multiplication : par division des touffes ou boutures basales, au printemps.

Récolte et séchage : coupez des pousses, fleuries ou non, au fur et à mesure des besoins pour les utiliser fraîches. Pour le séchage, récoltez des pousses encore non fleuries en fin de printemps et séchez-les à l'air, en petits bouquets.

Utilisation : traditionnel aromate de la pizza, l'origan, sous forme de petites feuilles entières ou hachées parfume aussi les salades d'été, les plats de légumes ou de riz, les viandes grillées. Essayez aussi l'origan en infusion de feuilles, pour apaiser la toux, les maux de tête et faciliter la digestion.

Oseille

Surelle

Rumex acetosa

Plante vivace des prairies des régions tempérées et froides de l'hémisphère Nord, l'oseille figure depuis très longtemps dans les potagers et jardins de simples. Elle forme des touffes basses, denses, de grandes feuilles oblongues, en fer de flèche, d'un vert soutenu. Elle émet en été de fins épis de petites fleurs crème rougeâtre, qu'il est préférable de supprimer pour privilégier le feuillage. Vous pouvez aussi rechercher la forme qui ne fleurit pas. Sa saveur fraîche et acidulée est très appréciée en cuisine.

Les jeunes feuilles sont d'ailleurs moins acides que les feuilles plus développées. L'oseille possède en outre des propriétés apéritives, rafraîchissantes et antiscorbutiques. Elles sont aussi légèrement diurétiques et dépuratives.
Comme les épinards ou la rhubarbe, l'oseille est riche en oxalates et déconseillée (en quantité du moins !) à ce titre aux personnes souffrant d'arthrose, rhumatismes, calculs.

Exposition : mi-ombre de préférence, ou ombre.
Plantation : mettez en place quelques plants d'oseille au printemps. Vous pouvez leur consacrer une jardinière ou une coupe large, ou encore constituer une petite bordure dans une grande jardinière intégrée. Plantez-la dans une bonne terre de jardin ou dans un terreau de rempotage ordinaire.
Arrosage et engrais : arrosez très régulièrement, de façon à maintenir le terreau légèrement humide en permanence (mais évitez toute humidité stagnante). Plutôt que de faire des apports d'engrais, rempotez l'oseille chaque année ou faites un apport de compost en automne.
Autres soins : supprimez les hampes florales, divisez les touffes lorsqu'elles deviennent trop denses.
Maladies et parasites : rouille.
Multiplication : par division des touffes.
Récolte : cueillez les feuilles fraîches au fur et à mesure des besoins, du printemps jusqu'aux gelées. Les vieilles feuilles sont plus acides, aussi récoltez l'oseille régulièrement.
Utilisation : ajoutez quelques jeunes feuilles dans les salades vertes. Cuite en « fondue d'oseille », elle parfume agréablement omelette, pommes de terre, poissons, sans oublier la classique soupe à l'oseille.

Persil

Petroselinum crispum

Le persil est une plante bisannuelle, c'est-à-dire qui forme des feuilles la première saison, puis fleurit et forme des graines la deuxième année. On le cultive pour ses feuilles, donc comme une annuelle, depuis la Rome antique ! Il forme des touffes de 30-40 cm de hauteur, un peu plus lorsqu'il fleurit. Son feuillage vert vif finement ciselé, très parfumé, est connu de tous. Il fleurit en ombelles crème, puis forme des « graines » aromatiques également.

Il existe toute une gamme de variétés de persil, offrant des nuances de vert variées, un feuillage « plat » ou « frisé » (« crispé » pour les botanistes !), mais sachez que le persil plat est nettement plus parfumé que le frisé. Il en existe également une forme à racine tubéreuse, consommée comme légume, mais qui se prête moins bien à la culture en pot.

Associé aux rites funéraires dans la Grèce antique, le persil a fait l'objet au fil des siècles de nombreuses croyances, la germination plutôt longue donnant par exemple à penser qu'il pactisait avec le diable et qu'il était nécessaire de le semer le vendredi saint ! Il n'en a pas moins été utilisé sans faillir comme plante condimentaire, mais aussi comme plante apéritive, intéressante pour sa richesse en vitamine C et en fer.

Exposition : soleil ou ombre, mais en évitant le soleil brûlant en plein été, qui fait sécher les feuilles et favorise la montée à graines.

Plantation ou semis : sur un petit balcon ou un simple appui de fenêtre, la solution la plus simple consiste à acheter du persil en godet, à repiquer dans un pot plus large, ou à plusieurs godets dans une petite jardinière. Pour une production plus importante, par exemple pour une bordure gourmande dans un grand bac, semez en place, aussi clair que possible, quand le sol est déjà bien réchauffé. Selon les conditions extérieures, la levée demande 2-3, parfois jusqu'à 4 semaines. Éclaircissez les jeunes plants pour respecter un espacement de 12 cm environ. Vous pouvez aussi faire 2-3 semis dans la belle saison pour avoir en permanence des feuilles bien parfumées. Utilisez une bonne terre de jardin ou un terreau de rempotage ordinaire.

Arrosage et engrais : arrosez de façon à maintenir le mélange de culture légèrement humide en permanence. Inutile de faire des apports d'engrais.

Autres soins : supprimez si nécessaire les feuilles sèches. Poursuivez la récolte jusqu'en hiver, tant que le feuillage n'est pas abîmé. Protégez-le au besoin sous une cloche, vous en profiterez plus longtemps !

Maladies et parasites : mouche de la carotte, rare au balcon.

Multiplication : par semis, entre printemps et début d'automne.

Récolte : les feuilles supportent mal le séchage, perdant l'essentiel de leur arôme. Pour les conserver, mieux vaut les congeler. Coupez tiges et feuilles fraîches au fur et à mesure des besoins. Cueillez délicatement, à la main ou aux ciseaux, pour ne pas arracher les plants. Il est bien pratique d'avoir toujours sous la main dans la cuisine un petit bouquet de persil dans un verre d'eau.

Utilisation : le parfum du persil (feuilles et tiges hachées) peut relever de nombreuses préparations culinaires, figurant dans le traditionnel bouquet garni, apportant une note un peu piquante et fraîche dans les salades ou crudités, dans les plats de légumes, les soupes, les omelettes, les farces de toutes sortes… Les feuilles écrasées apaisent piqûres d'insectes et petites coupures.

➢ Avant le semis, faites tremper les graines 24 h dans l'eau tiède. La levée sera un peu plus rapide !

Petite pimprenelle
Petite sanguisorbe
Sanguisorba minor

Cette plante vivace condimentaire, qui pousse dans les prairies et les bois clairs en Europe et Asie tempérée, a un feuillage léger tout à fait décoratif, intéressant à plus d'un titre sur un balcon de simples ! Elle forme une touffe de 40-60 cm de hauteur (parfois jusqu'à 1 m), à rhizome rampant et tiges lâches, à feuillage divisé en jolies folioles dentées, vert vif, dominé en été par des boules denses de minuscules fleurs rouge rosé.

Utilisée comme condiment ou comme salade depuis plusieurs siècles, parfois comme fourrage car appréciée du bétail, la petite pimprenelle est riche en vitamine C, facilite la digestion. En usage externe, elle est cicatrisante. Son goût rappelle celui du concombre. La grande pimprenelle ou sanguisorbe officinale, Sanguisorba officinalis, *est une espèce proche, plus développée, qui présente les mêmes propriétés, mais au feuillage moins savoureux.*

Exposition : soleil ou mi-ombre.

Plantation ou semis : achetez 1 ou de 2 plants en godet et plantez-les au printemps dans une coupe ou dans un grand bac avec d'autres aromates. Vous pouvez aussi la semer dans une jardinière consacrée à cet effet. Cultivez la pimprenelle dans une terre de jardin bien drainée ou un terreau de rempotage ordinaire. Éclaircissez les semis à 10-15 cm de distance.

Arrosage et engrais : pratiquez des arrosages réguliers, mais attendez pour arroser que le mélange soit sec sur 2-3 cm. Faites un apport de matière organique en automne ou au printemps, ou bien 3-4 apports d'engrais liquide entre mai et août.

Autres soins : supprimez au besoin les inflorescences qui se forment, pour privilégier le feuillage. Nettoyez les touffes en fin d'hiver.

Maladies et parasites : rares, parfois limaces.

Multiplication : par semis au printemps.

Récolte et séchage : récoltez les feuilles fraîches au fur et à mesure des besoins, jusque tard en hiver si le climat est assez doux. Choisissez de préférence des feuilles jeunes, car ensuite le pétiole devient plus coriace et il faut alors détacher les folioles pour les utiliser. Le séchage n'est guère conseillé.

Utilisation : découvrez la saveur de la pimprenelle dans une salade verte ou une omelette. Ses feuilles hachées peuvent aussi parfumer soupes, sauces ou fromage blanc.

Pourpier

Pourpier potager

Portulaca oleracea

Cette petite plante annuelle à tiges et feuilles charnues ne dépasse pas 20-30 cm de hauteur. Ses tiges rampantes, souvent rosées, portent des feuilles épaisses, presque rondes, petites, d'un vert mat ou légèrement doré dans le cas du pourpier doré, variété la plus couramment cultivée. Il porte en été d'éphémères petites fleurs jaunes, suivies de fruits renflés aux petites graines noires.

Cultivé depuis des siècles en Asie et en Perse, le pourpier est consommé le plus souvent cru, mais il peut aussi être cuit. Il était courant pendant un temps de faire confire le pourpier au vinaigre, comme des cornichons. Le pourpier au goût croquant, acidulé, est, comme le persil, riche en fer et en vitamine C. Il faisait partie des herbes utilisées pour prévenir le scorbut.

Ne confondez pas le pourpier potager avec le pourpier à grandes fleurs, Portulaca grandiflora, *autre espèce du genre, purement ornementale, à grandes fleurs très colorées !*

Exposition : situation chaude et ensoleillée, mais pas brûlante.

Semis : semez le pourpier en place, par exemple dans une jardinière, à partir du mois de mai. Semez clair, puis éclaircissez après la levée pour conserver un intervalle de 10-12 cm entre les plants. Cultivez-le dans une terre de jardin bien drainée ou un terreau de rempotage additionné d'un peu de sable grossier ou de vermiculite pour le drainage.

Arrosage et engrais : arrosez régulièrement, dès que le terreau est sec sur 2 cm, car le feuillage charnu est assez exigeant en eau. Inutile par contre de faire des apports d'engrais.

Maladies et parasites : rares.

Multiplication : par semis.

Récolte et séchage : la plante se prête mal au séchage. Récoltez les feuilles charnues fraîches, au fur et à mesure des besoins, du début de l'été jusqu'aux premières gelées qui anéantissent la culture. Consommez-les si possible dans les 48 h après la cueillette, car elles perdent vite leur goût au réfrigérateur.

Utilisation : essayez la saveur piquante et acidulée du pourpier dans les salades (comme le mesclun). Les feuilles peuvent également être cuites comme des épinards et accompagner une viande blanche.

Primevère vulgaire
Primula vulgaris

L'un des parents des nombreux hybrides à grandes fleurs colorées fleurissant entre hiver et printemps, cette petite primevère vivace pousse à l'état sauvage dans les bois frais d'Europe. Elle forme des rosettes de longues feuilles gaufrées, vert vif, presque persistantes. Les fleurs solitaires jaune clair apparaissent en fin d'hiver ou début de printemps au cœur de la rosette. Cette petite plante de 12-15 cm de hauteur, 15-20 cm d'étalement apportera une note de fraîcheur printanière en pot ou jardinière, ou encore plantée au premier plan dans un grand bac.

Ses propriétés médicinales comme son intérêt culinaire sont souvent ignorés aujourd'hui, alors que les Romains la citaient déjà dans leurs ouvrages consacrés aux bonnes herbes ! Les fleurs comestibles sont utilisées en confiserie. Les fleurs toujours ont des propriétés sédatives, calmantes et antispasmodiques, tandis que la décoction de racines est expectorante.

La primevère officinale, plus connue sous le nom de coucou, Primula veris, *possède les mêmes propriétés que la petite primevère vulgaire.*

Si les fleurs de ces petites primevères sont comestibles, sachez que le feuillage de certaines espèces peut déclencher des allergies cutanées chez des sujets sensibles.

Exposition : mi-ombre ou ombre.

Plantation : plantez ces petites primevères au printemps ou en début d'automne, par exemple dans une coupe large, ou bien au pied d'arbustes dans un grand bac. Utilisez une terre de jardin fraîche mais bien drainée, ou un terreau de rempotage ordinaire.

Arrosage et engrais : arrosez régulièrement ces plantes de fraîcheur, de façon à ce que le mélange de culture demeure légèrement humide, au printemps surtout, mais en évitant toute humidité stagnante. Préférez aux apports d'engrais liquide un apport annuel de compost ou autre matière organique en automne.

Maladies et parasites : parfois pourriture grise, en cas de conditions très humides.
Multiplication : par division des touffes qui s'étalent lentement.
Récolte : récoltez les fleurs fraîches en début d'épanouissement.
Utilisation : les fleurs fraîches peuvent décorer une salade de fruits. Confites, elles apportent une touche originale sur un gâteau ou dans une confiture ! Essayez aussi la tisane de fleurs, agréablement parfumée, légèrement sédative, qui calme nervosité et anxiété.

Pulmonaire officinale
Pulmonaria officinalis

Cette belle vivace printanière pousse dans les sous-bois frais et fossés humides d'Europe, annonçant le printemps de ses grappes de fleurs tubulées qui virent progressivement du rose au bleu. Avec son rhizome rampant, elle forme peu à peu de larges touffes tapissantes, aux grandes feuilles vert sombre maculées d'argent, hérissées de poils. Elle atteint 20-30 cm de hauteur, jusqu'à 50 cm de largeur. Il en existe des variétés horticoles, à floraison blanche ou feuillage plus ou moins abondamment panaché.
Le nom de pulmonaire fait bien sûr référence au poumon, et elle a de fait longtemps été considérée comme un remède aux affections pulmonaires, ce qui est aujourd'hui remis en cause. Ses jeunes feuilles sont cependant comestibles, riches en mucilage et en vitamine C. Si elle ne « soigne » pas les affections pulmonaires, la tisane de feuilles, par sa richesse en mucilage, est calmante et expectorante.

Dans un grand bac ou une jardinière intégrée sur une terrasse fraîche et ombragée, la pulmonaire fera un couvre-sol intéressant, avec une floraison remarquée dès la fin d'hiver.

Exposition : mi-ombre ou ombre.

Plantation : plantez la pulmonaire au printemps ou en début d'automne, dans une coupe ou comme couvre-sol dans un grand bac, dans une terre de jardin ordinaire, même calcaire, mais plutôt fraîche, ou dans un terreau de rempotage ordinaire.

Arrosage et engrais : arrosez régulièrement, de façon à maintenir le mélange de culture légèrement humide entre fin d'hiver et automne. Évitez cependant toute humidité stagnante. Faites si possible un apport annuel de matière organique en automne, ou bien 3-4 apports d'engrais liquide dans l'été.

Autres soins : supprimez les feuilles abîmées ou marquées par l'oïdium, divisez les touffes trop denses.

Maladies et parasites : sensible à l'oïdium si l'été est sec et les arrosages irréguliers.

Multiplication : par division des touffes.

Récolte et séchage : choisissez de jeunes feuilles très fraîches pour les utiliser en cuisine. Pour la tisane, coupez de belles feuilles bien développées et faites-les sécher à plat sur des clayettes.

Utilisation : ajoutez quelques jeunes feuilles dans un potage ou même essayez-les hachées dans une salade (mais leur texture rugueuse n'est pas toujours appréciée crue !). Préparez une infusion de feuilles séchées pour calmer la toux.

Reine-des-prés

Spirée ulmaire

Filipendula ulmaria

Cette grande vivace d'origine asiatique ne dépasse guère 1 m de hauteur lorsqu'elle est cultivée en bac. Elle déploie ses longues tiges dressées rougeâtres, à feuilles composées vert foncé, lobées et dentées, et couronnées en été d'inflorescences en bouquets vaporeux de minuscules fleurs blanc crème, au parfum douceâtre. Le feuillage est odorant également, jadis utilisé dans les jonchées de plantes séchées étalées au sol pour masquer les mauvaises odeurs ! Comme pour l'aspérule odorante ou le mélilot, le feuillage change de parfum en séchant, évoquant alors le foin, ce qui est dû à la présence de coumarine. La reine-des-prés est d'ailleurs utilisée pour aromatiser l'hydromel, auquel elle communique ce parfum particulier. Il en existe une variété à fleurs doubles, à floraison plus mousseuse encore. Diurétique, la plante possède également des propriétés antirhumatismales et antidiarrhéiques.

Exposition : soleil ou mi-ombre, en évitant le soleil brûlant.

Plantation : plantez la reine-des-prés au printemps ou en début d'automne, dans un grand bac rempli de bonne terre de jardin demeurant fraîche, ou dans un terreau de rempotage ordinaire, si possible enrichi en matière organique.

Arrosage et engrais : arrosez régulièrement, dès que le mélange de culture est sec en surface, car cette plante aime les conditions humides, presque marécageuses. Gardez-la cependant plus au sec en hiver. Faites un apport d'engrais organique au printemps ou de compost bien décomposé, en automne ou au printemps.

Autres soins : rabattez les tiges à la base en automne quand elles sont détruites par les gelées.

Maladies et parasites : rares.

Multiplication : par division des touffes au printemps.

Récolte et séchage : pour le séchage, récoltez feuilles et fleurs en début de floraison. Séchez-les à l'air, en bouquets suspendus tête en bas dans un local sombre, chaud et sec. Pour une utilisation fraîche, coupez les inflorescences juste avant le plein épanouissement.

Utilisation : fleurs comme feuilles séchées parfument agréablement un pot-pourri ou des sachets de senteurs. Les feuilles fraîches peuvent également parfumer une soupe de légumes. L'infusion de fleurs, diurétique et antiseptique, apaise fièvre, maux de tête, douleurs rhumatismales et états anxieux.

Romarin

Rosmarinus officinalis

Bien adapté à la culture en bac sur un balcon ensoleillé, le romarin a plus d'une qualité : feuillage persistant gris-vert en « aiguilles », floraison mauve, port arbustif, senteur méditerranéenne, vertus condimentaires et médicinales des feuilles, connues déjà dans l'Antiquité grecque et romaine ! Aussi beau

que bon, cultivez-le seul dans un bac ou associé à d'autres arbustes méditerranéens comme sauge, laurier, hysope et thyms tapissants, dans une grande jardinière intégrée.
C'est un arbuste qui atteint environ 1,50 m de hauteur, presque autant en étalement. Il en existe une forme prostrée, plus basse et étalée. Ses tiges ligneuses, buissonnantes, portent des feuilles résineuses très aromatiques. Il offre en fin de printemps de petites fleurs mauves, parfois blanches, à l'aisselle des feuilles supérieures, très recherchées des abeilles. Il en existe également des variétés à floraison rose ou à port plus compact.
Stimulant et tonique, le romarin a également une action anti-bactérienne. Quant à son arôme, il est indissociable de la cuisine méditerranéenne.
Le romarin, plante du souvenir en Grande-Bretagne, était censé en Espagne protéger contre les mauvais sorts. Il a également la réputation depuis l'Antiquité d'être un véritable « élixir de jeunesse » !

Exposition : situation chaude et ensoleillée, abritée en région froide.
Plantation : au printemps, mettez en place un jeune sujet de romarin, seul dans un grand pot ou associé à d'autres plantes en bac, dans une terre de jardin bien drainée, calcaire de préférence. Si vous ne disposez que de terreau de rempotage ordinaire, allégez-le avec sable grossier ou de la vermiculite.
Arrosage et engrais : arrosez modérément cet arbuste adapté aux étés chauds et secs. Tenez compte cependant du fait qu'il est cultivé en pot, non en pleine terre, et ne peut donc aller puiser l'eau en profondeur dans le sol. Arrosez-le environ 2 fois par semaine en plein été, 1 fois en automne et printemps, tous les 10 jours en période hivernale sèche et douce. Apportez-lui

en automne ou fin d'hiver un peu de compost bien décomposé ou matière organique équivalente, car il est peu exigeant en éléments nutritifs.

Autres soins : taillez en fin d'hiver si nécessaire pour supprimer les pousses sèches, rectifier la silhouette ou lui donner une forme plus régulière, en dôme. Protégez-le en période de grands froids, par exemple avec un voile d'hivernage. Évitez surtout la conjonction de froid et humidité !

Maladies et parasites : rares.

Multiplication : par bouturage ou marcottage des tiges basses.

Récolte et séchage : coupez des brins de romarin au fur et à mesure des besoins, que ce soit pour les utiliser frais ou les faire sécher en petits bouquets suspendus dans un local sombre et bien ventilé.

Utilisation : le romarin parfume agréablement tous les barbecues de l'été, viandes ou poissons grillés, mais aussi toutes les viandes blanches rôties ou en sauce, lapin, poulet, porc... Il peut aussi parfumer marinade de viande, huile ou vinaigre, entrer dans la composition d'un bouquet garni.

L'infusion de romarin offre en elle-même un goût agréable et peut-être associée à d'autres bonnes herbes comme le thym. Elle soulage aussi rhume, fièvre, maux de tête, et facilite la digestion.

Les feuilles séchées apportent un parfum durable aux pots-pourris et sachets de senteurs à glisser dans le linge des armoires.

Roquette

Eruca vesicaria subsp. *sativa*

Cette annuelle qui pousse dans les friches des régions méditerranéennes est l'un des éléments du « mesclun » provençal, qui mêle diverses petites salades récoltées jeunes. Elle y apporte une saveur piquante et fraîche.

Très facile à obtenir par des semis répétés en petite quantité, dans une coupe ou petite jardinière, elle forme des feuilles vert vif, longues, diversement lobées et divisées, en rosette, puis une hampe florale couronnée de petites fleurs blanches ou jaunâtres, à 4 pétales, suivies de fruits sous forme de siliques. Les feuilles dégagent un arôme fort lorsqu'on les froisse.

Outre ses qualités condimentaires, la plante est diurétique, tonique et a été autrefois utilisée pour prévenir le scorbut.

Les feuilles sont plus piquantes, presque trop fortes, en conditions chaudes et sèches. Ces conditions favorisent aussi une montée à graines rapide. C'est pourquoi il est préférable de renouveler les semis et de veiller à des arrosages réguliers.

Exposition : soleil ou ombre légère.

Semis : semez en place à partir d'avril, dans une terre légère, bien drainée, ou un terreau de rempotage allégé d'un peu de vermiculite. Éclaircissez les plantes à 8-10 cm d'intervalle.

Arrosage et engrais : arrosez régulièrement, les jeunes plants surtout, mais par la suite également, sans attendre que le terreau sèche en profondeur, ce qui rend le feuillage plus coriace et plus piquant. Inutile de faire des apports d'engrais.

Maladies et parasites : rares.

Multiplication : par semis.

Récolte : cueillez les feuilles fraîches, jeunes de préférence, au fur et à mesure des besoins, en veillant à ne pas arracher les plants lors de la récolte. Vous pouvez commencer la cueillette environ 6-7 semaines après le semis. Cessez quand se forment les fleurs.

Utilisation : ajoutez les jeunes feuilles de roquette à vos salades d'été, salades vertes comme salade de tomates… Elles peuvent aussi être cuites comme des épinards, par exemple en garniture de viande.

Rosier des apothicaires

Rosier de Provins

Rosa gallica var. *officinalis*

Les rosiers buissons plantés en massif ont perdu les propriétés aromatiques et médicinales de certaines espèces botaniques anciennes, comme ce rosier des apothicaires, introduit en Europe occidentale par les croisés. Populaire depuis le Moyen Âge, c'est un arbuste de 1 à 1,50 m de hauteur qui fera beaucoup d'effet cultivé dans un grand bac sur un balcon ou une terrasse. Il offre en juin une unique mais généreuse floraison en roses rouges, semi-doubles, à étamines dorées, très odorantes. Elles sont suivies de fruits orangés, les cynorrhodons.

Les pétales séchés sont précieux pour les pots-pourris car ils conservent bien leur parfum. Les fleurs sont depuis des siècles utilisées pour préparer l'eau de rose, qui soulage les yeux irrités, la confiture de roses (toujours avec les pétales) pour lutter contre la diarrhée, la célèbre pommade rosat qui soigne les lèvres gercées. D'autres rosiers ont connu depuis longtemps des utilisations pour la parfumerie comme pour la médecine. C'est le cas du rosier chou ou rosier Centfeuilles, Rosa centifolia*, qui offre entre juin et août une floraison au parfum puissant en grosses fleurs très doubles, rose pâle, ou de l'églantier sauvage,* Rosa canina*, très recherché pour ses fruits préparés en confitures ou gelées (mais souvent trop encombrant pour un balcon !).*

Louis XIV se régalait, dit-on, de roses confites dans du sucre, et les loukoums sont aujourd'hui encore souvent parfumés à la rose. Recherchez également Rosa rubiginosa*, l'églantier odorant, dont le feuillage froissé dégage un délicieux parfum de pomme.*

Exposition : situation dégagée et ensoleillée, en évitant cependant le soleil brûlant de la mi-journée en été.

Plantation : plantez un rosier dans un bac assez large et profond (40-50 cm de diamètre et profondeur), au printemps si vous l'achetez en motte ou conteneur, dans l'hiver (en période hors gel) si vous l'achetez « racines nues ». Utilisez une bonne terre de jardin bien drainée, pas trop calcaire, ou un terreau spécial rosiers.

Arrosage et engrais : arrosez régulièrement la première saison suivant la plantation, dès que le mélange de culture est sec sur 3-5 cm de profondeur. Espacez un peu les arrosages les années suivantes. Arrosez moins bien sûr en hiver. Faites un apport d'engrais complet en début de printemps.

Autres soins : taillez court à la plantation pour stimuler la vigueur de cet arbuste. Par la suite, ce type de rosier ne demande qu'une taille légère, de nettoyage, en fin d'hiver, pour éliminer le bois faible ou malade, les pousses mal placées, pour équilibrer la silhouette.

Maladies et parasites : pucerons, oïdium, maladie des taches noires (mais les rosiers botaniques et anciens sont moins fragiles que les variétés modernes).

Multiplication : difficile, en général par greffage ou bouturage.

Récolte et séchage : cueillez les fleurs en début d'épanouissement, que ce soit pour une utilisation immédiate ou pour le séchage. Pour sécher les pétales de rose, commencez par « effeuiller » les fleurs, puis séchez les pétales à plat sur une mousseline, à l'obscurité pour qu'ils conservent leur teinte, en les retournant de temps à autre. Récoltez les cynorrhodons quand ils sont bien colorés, en fin d'été-début d'automne, mais avant qu'ils ne se rident. Ils peuvent être utilisés frais ou séchés. Il faut bien sûr filtrer les préparations pour séparer la pulpe riche en vitamine C du « gratte-cul », poils irritants présents dans le fruit !

Utilisation : préparez pots-pourris et autres préparations parfumées pour la maison, ajoutez quelques pétales frais dans les salades de fruits estivales et essayez si vous disposez de suffisamment de fleurs la confiture de pétales de rose !

Santoline

Santoline petit-cyprès

Santolina chamaecyparissus

Ce sous-arbrisseau très aromatique des sols méditerranéens secs est souvent considéré comme une plante vivace car il ne dépasse pas 50 cm de hauteur. Ses tiges buissonnantes, lignifiées à la base, portent un fin feuillage persistant argenté, au parfum légèrement citronné. Il fleurit vers la fin d'été en petites boules jaune vif.

Se prêtant bien à la culture en pot ou bac, la santoline est un excellent choix pour un balcon ensoleillé, offrant toute l'année sa silhouette décorative. Elle peut être taillée en boule ou constituer une bordure basse.

Son feuillage odorant a des propriétés vermifuges et insecticides.

Exposition : situation chaude, ensoleillée (abritée en région froide).

Plantation : mettez la santoline en place au printemps de préférence, car elle est sensible à l'humidité hivernale, dans une terre de jardin bien drainée, même calcaire, ou un terreau de rempotage allégé d'un quart de sable grossier ou de vermiculite.

Arrosage et engrais : arrosez modérément cette plante qui ne craint guère la sécheresse ; environ 2 fois par semaine en été, 1 fois par semaine au printemps et en automne, moins en hiver. Apportez en automne ou au printemps un paillis organique.

Autres soins : taillez-la en début de printemps, pour supprimer les pousses ayant souffert du froid, rabattre légèrement les tiges défleuries, rectifier la silhouette d'ensemble. La santoline peut être taillée en boule. Si vous préférez privilégier l'effet de feuillage, supprimez les hampes florales quand elles se forment.
Maladies et parasites : rares.
Multiplication : par bouturage.
Récolte et séchage : coupez des pousses de santoline avant la floraison, en début d'été, et faites-les sécher à l'air, étalées sur des clayettes ou suspendues en petits bouquets. Vous pouvez aussi faire sécher les fleurs pour les inclure dans des bouquets secs.
Utilisation : ajoutez des feuilles séchées dans un pot-pourri pour une note piquante et citronnée. Utilisez-les également comme ingrédient des sachets odorants et insecticides à glisser dans les armoires pour parfumer le linge et tenir les mites à distance !

Sarriette

Sarriette vivace, sarriette des montagnes

Satureja montana

Sous-arbrisseau méditerranéen, appelé en Provence « poivre d'âne », la sarriette atteint 25-40 cm de hauteur, avec de fines feuilles gris-vert, aromatiques, au goût poivré, de petites fleurs blanches à rosées en été. Ses tiges lignifiées à la base sont très ramifiées.

La sarriette annuelle, Satureja hortensis, *à semer chaque printemps donc, a un feuillage plus épars et un goût un peu moins relevé que celui de la sarriette vivace.*

La sarriette est l'aromate par excellence des plats de haricots et fèves, au point de porter en allemand le nom de « Bohnenkraut », herbe aux haricots ! Sa saveur poivrée rehausse bien également les plats de viande en sauce, gibiers notamment, facilitant par ailleurs la digestion. La sarriette possède des propriétés digestives, vermifuges, antiseptiques et antibactériennes.
Buisson bas au feuillage persistant, la sarriette se prête à la culture en pots et peut même constituer une bordure basse intéressante dans un grand bac consacré aux aromates de soleil.

Exposition : chaude et ensoleillée, abritée en région froide.
Plantation : plantez au printemps un sujet acheté en godet, dans une terre de jardin bien drainée, même calcaire. À défaut, utilisez un terreau de rempotage allégé de sable grossier ou de vermiculite.
Arrosage et engrais : arrosez régulièrement les sujets récemment plantés, mais espacez ensuite les arrosages car la sarriette supporte une sécheresse passagère. 2 arrosages par semaine en plein été suffisent généralement, 1 fois par semaine ou moins le reste de l'année. Faites 1 apport d'engrais organique en début de saison ou 3 apports d'engrais liquide ordinaire entre printemps et mi-été.

Autres soins : taillez-la en fin d'hiver si nécessaire pour éliminer les pousses sèches, raccourcir les tiges trop longues. Évitez-lui en hiver toute humidité stagnante et protégez-la sous un voile d'hivernage en cas de période de grand froid.
Maladies et parasites : rares
Multiplication : par semis ou bouturage.

Récolte et séchage : cueillez pousses et feuilles fraîches au fur et à mesure des besoins. La récolte des jeunes pousses stimule en outre le buissonnement de la plante ! Pour le séchage, coupez les pousses en début de floraison ou avant floraison et séchez-les à l'air, en petits bouquets.
Utilisation : ajoutez feuilles hachées ou entières dans les salades d'été, les plats de lentilles, haricots, fèves ou pois, les viandes en sauce, mais aussi les farces à la viande, les pâtés. En infusion, seule ou associée à d'autres plantes méditerranéennes comme hysope, thym, romarin, la sarriette facilite la digestion, soulage les maux d'estomac.

➢ Un cataplasme de feuilles écrasées de sarriette soulage les piqûres d'abeilles ou de guêpes.

Sauge officinale
Salvia officinalis

Indispensable sur un grand balcon ou une terrasse ensoleillée accueillant des bonnes herbes méditerranéennes, la sauge officinale est un arbuste très décoratif, qui peut atteindre plus de 1 m de hauteur et jusqu'à 1,50 m d'étalement (au fil des ans, car sa croissance est assez lente !). Ses tiges lignifiées grises portent des feuilles persistantes gris-vert, finement gaufrées, presque rugueuses, très odorantes dès qu'on les touche. Elle offre en juin-juillet des grappes de fleurs pourpres ou blanches, décoratives également.
Il en existe de nombreuses variétés horticoles, presque aussi parfumées que l'espèce type, précieuses pour composer des scènes de feuillages colorés. Pour la culture en pot, choisissez des formes

à petit développement comme 'Aurea' à feuillage doré, 'Icterina' à feuillage panaché de jaune ou 'Tricolor', panachée de crème, rose et gris-vert. 'Purpurascens' est une forme à feuillage pourpre magnifique, qui s'étale largement.

La sauge a des vertus toniques, digestives et cicatrisantes.

Le nom latin de la sauge, Salvia, *vient du latin* salvare, *sauver, ce qui en dit long sur les vertus médicinales de cette plante, réputée dans l'Antiquité guérir toutes les maladies ou presque !*

Exposition : chaude et ensoleillée.

Plantation : plantez au printemps un sujet acheté en godet, dans un pot ou bac, selon la variété choisie et la taille du jeune plant, rempli de terre de jardin bien drainée, légère, même calcaire. Si vous utilisez un terreau de rempotage ordinaire, allégez-le d'un quart de sable grossier ou de vermiculite.

Arrosage et engrais : arrosez modérément cette plante qui supporte bien la sécheresse estivale. 2 arrosages par semaine en plein été sont généralement suffisants. Faites un apport de matière organique en automne ou fin d'hiver, ou un apport d'engrais organique au printemps.

Autres soins : taillez si nécessaire en fin d'hiver pour supprimer les pousses sèches ou dégarnies, celles qui ont souffert du froid en hiver.

Maladies et parasites : rares, parfois pucerons sur les inflorescences.

Multiplication : par bouturage, marcottage ou semis.

Récolte et séchage : cueillez toute l'année, une à une ou sous forme de pousses, les feuilles à utiliser fraîches. Pour le séchage, coupez pousses ou feuilles juste avant la floraison, quand elles sont très parfumées et séchez-les à l'air, étalées sur des clayettes ou suspendues en petits bouquets.

Utilisation : la sauge parfume agréablement rôti de porc, farces de viande, veau ou lapin, mais aussi pizza. L'infusion de feuilles, en gargarisme, soulage maux de gorge, aphtes, gencives douloureuses. Bue en tisane, la sauge est tonique et digestive

Ajoutez feuilles séchées, entières ou émiettées, dans les pots-pourris et sachets de senteurs. Enfin, sous forme de cataplasme, les feuilles ont des vertus cicatrisantes.

Sauge sclarée

Orvale, toute-bonne

Salvia sclarea

Une autre espèce de sauge, bisannuelle celle-ci, qui atteint environ 1 m de hauteur ou plus lorsqu'elle fleurit. Elle forme une touffe basale de grandes feuilles grises, dentelées, aromatiques et émet la seconde année une longue tige florale ramifiée, aux fleurs mauve pourpré. Imposante, elle sera spectaculaire dans un grand bac, associée à d'autres plantes aromatiques. Elle se ressème facilement.

Considérée autrefois comme stimulante et antispasmodique, la sauge sclarée est aujourd'hui plutôt utilisée en parfumerie, l'huile essentielle extraite des feuilles servant de fixateur de parfums. Ses feuilles au goût amer ont également servi à aromatiser la bière.

Exposition : soleil ou ombre légère.

Plantation : semez la sauge sclarée en godets en automne ou début de printemps, ou bien mettez en place un plant acheté au printemps. Cultivez-la dans une terre de jardin ordinaire, bien drainée, ou dans un terreau de rempotage ordinaire, allégé d'un peu de sable grossier.

Arrosage et engrais : un peu plus exigeante que la sauge officinale, la sauge sclarée apprécie des arrosages réguliers, dès que le terreau est sec sur 3-4 cm. Dans un mélange à base de terre, inutile de faire des apports d'engrais. Dans un terreau de rempotage ordinaire, faites 3 apports d'engrais liquide entre mai et août.

Autres soins : rabattez les tiges défleuries, ce qui peut permettre à la plante de refleurir l'été suivant.

Maladies et parasites : rares.

Multiplication : par semis.

Récolte et séchage : cueillez les feuilles avant la floraison et séchez-les à plat. Pour le séchage, récoltez les fleurs en début d'épanouissement et séchez-les en petits bouquets, à l'air.

Utilisation : fleurs et feuilles séchées peuvent servir d'ingrédient dans un pot-pourri aromatique. Appliquez une décoction de feuilles sur les petites écorchures.

Souci

Souci des jardins

Calendula officinalis

Annuelle originaire du sud de l'Europe, depuis longtemps apprivoisée dans les jardins, le souci apporte au balcon sa floraison colorée en marguerites jaunes à orangé soutenu, en fleurs simples à doubles selon les variétés. Ses feuilles vert clair, allongées, sont finement duveteuses. Il ne dépasse guère 50 cm de hauteur, avec des variations selon les cultivars. Sous climat doux, ses fleurs se succèdent une bonne partie de l'année !

De culture facile, le souci peut être semé en pot ou jardinière, ou sous la forme de quelques graines glissées dans un grand bac parmi d'autres plantes pour une note éclatante.

Le souci est depuis l'Antiquité célébré pour ses vertus médicinales ; c'est un anti-inflammatoire, antiseptique, antibactérien, toujours très utilisé sous forme de pommade ou teinture au Calendula, *ainsi qu'en homéopathie. Il sert également en cosmétique, pour préparer notamment des crèmes pour mains abîmées.*

Exposition : soleil de préférence, mais il tolère aussi l'ombre légère.

Semis : semez en place les graines de souci, dès l'automne sous climat doux, au printemps sinon, dans une terre de jardin bien drainée ou un terreau de rempotage ordinaire, allégé d'un peu de sable grossier. Éclaircissez au besoin pour que les plants soient espacés d'environ 10-12 cm.

Arrosage et engrais : arrosez régulièrement, mais attendez entre 2 arrosages que le mélange de culture sèche sur 2-3 cm.

Inutile en règle générale de faire des apports d'engrais, surtout s'il est cultivé dans une terre de jardin.

Autres soins : supprimez régulièrement les fleurs fanées pour prolonger la floraison. Si vous souhaitez favoriser le semis spontané, laissez se former quelques fruits.

Maladies et parasites : parfois pucerons ; oïdium en cas d'été chaud et sec, d'arrosages irréguliers.

Multiplication : par semis (se ressème facilement).

Récolte et séchage : pour une utilisation fraîche ou pour le séchage, récoltez les fleurs bien ouvertes mais encore en début d'épanouissement. Utilisez les fleurs entières ou « effeuillez »-les pour séparer les pétales. Faites sécher ceux-ci à plat sur une mousseline, à l'obscurité pour éviter qu'ils ne ternissent.

Utilisation : ajoutez des pétales de souci à l'eau de cuisson du riz pour colorer celui-ci. Décorez aussi vos salades d'été de fleurs ou pétales de souci, à saveur légèrement piquante. Utilisez fleurs et pétales séchés dans les pots-pourris pour une touche colorée. Préparez une huile apaisante contre les coups de soleil, pour calmer les peaux irritées, à partir de pétales macérés dans une huile végétale chaude.

Tanaisie

Tanaisie commune, herbe-aux-vers

Tanacetum vulgare

Cette vigoureuse plante vivace, dont les touffes s'étalent rapidement, peut atteindre près de 1 m de hauteur. Les tiges dressées portent un feuillage plumeux vert foncé, très aromatique et, en été, des bouquets de fleurs en forme de petits boutons jaune d'or. 'Crispum' en est une variété au feuillage élégant,

rappelant celui des fougères.
Utilisée au Moyen Âge, puis sous la Renaissance comme élément des jonchées odorantes (masquant les mauvaises odeurs des intérieurs), la tanaisie au fort parfum camphré était sans doute appréciée également pour ses propriétés insecticides ! Elle servait aussi à envelopper la viande pour éloigner les mouches et est toujours intéressante dans le panier du chat ou du chien pour éloigner puces et autres parasites ! Un temps utilisée à des fins culinaires, elle ne l'est plus aujourd'hui, à cause de son amertume et des risques de toxicité.
C'est l'une des plantes utilisées pour la préparation de la liqueur de bénédictine.

Exposition : soleil (tolère aussi l'ombre légère).
Plantation : plantez la tanaisie au printemps, dans une terre de jardin bien drainée, même calcaire, ou dans un terreau de rempotage allégé par un apport de sable grossier ou de vermiculite.
Arrosage et engrais : arrosez modérément, car la tanaisie est une plante qui pousse spontanément sur sols secs. 2 arrosages par semaine en plein été, 1 au printemps et en automne, à peine en hiver. Faites un apport de matière organique en automne ou début de printemps.
Autres soins : divisez au printemps les touffes qui prennent trop d'ampleur.
Maladies et parasites : rares.

Multiplication : par division ou semis au printemps.

Récolte et séchage : récoltez de belles feuilles bien développées, selon les besoins. Pour le séchage, cueillez-les peu avant la floraison et séchez-les à l'air, à plat. Faites aussi sécher les fleurs, intéressantes pour les pots-pourris et bouquets secs.

Utilisation : l'infusion de graines ou de feuilles fait toujours un vermifuge efficace, à utiliser sur avis médical ! Appliquez un cataplasme de feuilles sur les contusions ou pour soulager des douleurs rhumatismales. Incorporez dans les pots-pourris quelques feuilles séchées. Utilisez également les feuilles comme ingrédient des sachets insecticides à glisser dans les armoires (si vous en aimez l'odeur !).

Thym

Thymus vulgaris

Peu exigeant, indispensable sur un balcon ensoleillé, qu'il soit seul dans un petit pot, associé à d'autres aromates en jardinière ou sujet d'une collection d'espèces et variétés diverses, le thym est l'un des aromates que nous utilisons le plus à la cuisine. Thymus vulgaris *est le thym commun ou farigoule des provençaux, qui pousse dans les garrigues méditerranéennes. Peut-être le plus parfumé des thyms, c'est bien sûr l'ingrédient essentiel des « herbes de Provence ». C'est un petit sous-arbrisseau de 20-35 cm de hauteur, à tiges ligneuses, fines feuilles pointues gris-vert, très aromatiques, très petites fleurs rose-mauve en été.*

Il forme des touffes étalées, jusqu'à 50 cm de largeur. Son parfum, son arôme sont appréciés depuis l'Antiquité, et ses vertus antiseptiques et antibactériennes reconnues depuis des siècles.

Il existe d'autres espèces, et toute une gamme de variétés et hybrides décoratifs de thyms, tous intéressants pour le balcon ou la terrasse. Faites votre choix entre thym-citron, au parfum citronné, qui existe notamment sous forme de variété à feuillage panaché de jaune, thym-serpolet plus tapissant et un peu moins parfumé, qui présente également des formes colorées, Thymus doerfleri, *tapissant et très florifère, rose…*

Exposition : chaude et ensoleillée, abritée en région froide.

Plantation : mettez en place au printemps des plants achetés en godets, isolés ou plantés à 20-30 cm d'intervalle selon l'espèce, pour constituer une bordure basse dans un grand bac ou une jardinière intégrée sur une terrasse. Plantez dans une terre de jardin bien drainée, même sableuse ou calcaire. Si vous utilisez un terreau de rempotage ordinaire, aujoutez-y un quart de sable grossier ou de vermiculite pour le drainage.

Arrosage et engrais : arrosez modérément car le thym est habitué à la sécheresse estivale dans son habitat naturel. Ne laissez pas cependant le mélange sécher en profondeur. Évitez par ailleurs en hiver tout excès d'humidité (abritez-le en période très pluvieuse), qui peut lui être fatal. Plutôt que des apports d'engrais, préférez faire un apport de compost en automne ou au printemps.

Autres soins : nettoyez les touffes en fin d'hiver pour rabattre les tiges sèches.

Maladies et parasites : rares.

Multiplication : par division, bouturage ou marcottage.

Récolte et séchage : cueillez des pousses feuillues en toute saison, en les pinçant entre les doigts ou avec des ciseaux. Pour faire sécher des brins de thym, cueillez-les avant la floraison, en fin de printemps et séchez-les à l'air en petits bouquets.

Utilisation : le thym aromatise bien sûr les grillades d'été, les farces, marinades et courts-bouillons mais aussi les salades, finement effeuillé. Incorporez-le dans vos bouquets garnis pour sa saveur caractéristique.

➢ En infusion de feuilles ou fleurs, le thym est stimulant, tonique, soulage rhume de cerveau et bronchite, facilite la digestion des repas lourds.

Verveine-citronnelle

Verveine odorante

Aloysia triphylla

(syn. *Lippia citriodora*)

Cet arbuste semi-rustique, originaire d'Amérique du Sud, atteint 1 à 1,50 m de hauteur lorsqu'il est cultivé en bac sur un balcon ou une terrasse abritée et ensoleillée. Il a un port assez lâche, de longues feuilles persistantes vert soutenu, et porte en été de fines inflorescences aux petites fleurs rosées, discrètes. Arbuste de climat doux, la verveine-citronnelle est surtout remarquable par son feuillage puissamment aromatique, au parfum citronné, qui persiste longtemps, même après séchage des feuilles. Les feuilles sont très utilisées en infusion aux propriétés rafraîchissantes, légèrement sédatives et digestives.

Elles peuvent aussi aromatiser certains desserts (glace, gâteau). L'huile essentielle est utilisée en parfumerie et cosmétique. La verveine odorante est **la** *verveine des infusions (ce n'est pas la verveine officinale), qui se prête si bien aux mariages comme verveine-menthe !*

Exposition : abritée et ensoleillée, à l'abri du gel en hiver.

Plantation : plantez un jeune sujet acheté en godet ou conteneur, en avril-mai selon les régions, dans un grand pot ou bac rempli de terre de jardin bien drainée ou de terreau de rempotage ordinaire additionné d'un peu de sable grossier.

Arrosage et engrais : arrosez régulièrement mais sans excès, en laissant le mélange de culture sécher sur 3-4 cm entre 2 arrosages. Réduisez nettement les arrosages en hiver, pour n'arroser que lorsque le terreau est sec en profondeur. Faites un apport d'engrais complet au début du printemps.

Autres soins : taillez court la verveine-citronnelle en fin d'hiver, d'autant plus si elle a passé l'hiver sous abri. Rabattez toutes les tiges à 3 yeux (bourgeons) de la base pour stimuler la formation de nouvelles pousses vigoureuses et limiter l'encombrement de l'arbuste. En région froide, rentrez cet arbuste sous véranda fraîche mais hors gel pour l'hiver. Sous climat doux, protégez-le, par exemple avec un voile d'hivernage, en cas de gelées.

Maladies et parasites : rares.

Multiplication : par bouturage.

Récolte et séchage : récoltez les feuilles fraîches, une à une, au fur et à mesure des besoins. Pour le séchage, récoltez-les de préférence juste avant ou en début de floraison. Séchez-les en situation chaude et sombre, étalées sur des clayettes ou suspendues en petits bouquets.

Utilisation : dégustez le parfum citronné de la verveine en tisane. Attention, son arôme est assez fort, aussi usez-en avec modération. Quelques feuilles suffisent pour parfumer une tisane d'une autre plante, sans quoi elle risque de masquer l'arôme des autres composantes. 1 ou 2 feuilles peuvent aussi parfumer agréablement une viande blanche, comme un rôti de porc.

Ajoutez des feuilles de verveine dans un pot-pourri et utilisez-les comme ingrédients des sachets de senteur aux vertus insecticides, à glisser dans les armoires pour parfumer le linge tout en éloignant les mites.

Verveine officinale

-Verveine commune, herbe sacrée

Verbena officinalis

Beaucoup plus discrète que les verveines à floraison colorée utilisées comme plantes à massif estivales, celle-ci est une espèce vivace native du sud de l'Europe, qui forme des touffes de 60-80 cm de hauteur à la floraison. Les fines tiges dressées portent des feuilles plus ou moins découpées et dentées, assez épaisses, d'un vert légèrement grisâtre et vers la fin de l'été de très fines inflorescences ramifiées à très petites fleurs tubulées mauve pâle.

Utilisée dans l'Antiquité lors des cérémonies religieuses, notamment en Gaule par les druides, la verveine s'est vue attribuer au Moyen Âge des pouvoirs magiques, comme éloigner la peste, guérir épilepsie et fièvres diverses… On lui reconnaît aujourd'hui plus modestement des propriétés apéritives et digestives, sous forme d'infusion de feuilles et sommités fleuries, séchées. Elle calme également les états nerveux, tandis qu'en usage externe, elle aide à soigner les contusions.

Exposition : soleil ou ombre légère.

Plantation : plantez la verveine, achetée en godet, dans un grand pot ou, mieux, avec d'autres bonnes herbes plus décoratives dans un grand bac rempli de terre de jardin plutôt fraîche mais bien drainée, ou de terreau de rempotage.

Arrosage et engrais : arrosez régulièrement, dès que le mélange de culture est sec sur 3-4 cm. Arrosez à peine en hiver. Faites un apport de matière organique en automne ou au printemps, ou bien 3 apports d'engrais liquide entre mai et août.

Autres soins : rabattez les tiges sèches à la base en fin d'automne.

Maladies et parasites : rares.

Multiplication : par semis ou division des touffes au printemps.

Récolte et séchage : récoltez feuilles et pousses fleuries en début de floraison, et faites-les sécher à l'air suspendues en petits bouquets.

Utilisation : essayez la verveine officinale en infusion calmante et digestive. Appliquez une décoction de feuilles en compresses sur les contusions.

Violette odorante

Viola odorata

Cette petite plante vivace à port tapissant qui pousse dans les sous-bois et prairies d'Europe et ne dépasse pas 12-15 cm de hauteur, est appréciée depuis l'Antiquité romaine pour ses vertus médicinales. Chacun connaît ses rosettes de petites feuilles vert foncé, en cœur, et ses délicates fleurs… violettes ou blanches, odorantes, en fin d'hiver ou début de printemps.

Les fleurs à saveur délicate sont utilisées en confiserie et parfumerie (sous forme d'huile essentielle). Les feuilles sont laxatives et diurétiques, tandis que la fleur présente des propriétés pectorales.

Plantez des violettes dans une coupe large ou utilisez-les comme couvre-sol dans une jardinière en situation fraîche pour égayer le premier printemps au balcon !

Les fleurs de violette confites dans du sucre sont une spécialité ancienne de la ville de Toulouse !

Exposition : mi-ombre, tolère le soleil si le sol demeure frais.

Plantation : plantez la violette en début d'automne ou au printemps, dans une coupe ou jardinière remplie de terre de jardin fraîche et riche en humus, mais bien drainée, ou dans un terreau de rempotage ordinaire.

Arrosage et engrais : arrosez régulièrement, dès que le mélange de culture est sec sur 2-3 cm. Réduisez bien sûr les arrosages en hiver. Faites un apport de compost en automne ou un apport d'engrais organique faiblement dosé au printemps.

Maladies et parasites : rares, parfois oïdium.

Multiplication : par division des touffes ou semis.

Récolte et séchage : choisissez de belles fleurs et feuilles fraîches, non abîmées, pour les utiliser aussitôt ou après séchage. Séchez-les à plat, en les manipulant avec délicatesse.

Utilisation : essayez l'infusion de fleurs contre la toux. L'infusion de feuilles est laxative et diurétique. Utilisez les fleurs fraîches en décor d'une salade de fruits, ou confites dans du sucre pour décorer des pâtisseries ou entremets.

Ont collaboré à l'ouvrage :
Mise en pages : PFC
Fabrication : CPE Conseil

Achevé d'imprimer en janvier 2001
Par Pollina S. A., 85400 Luçon
N° d'impression : L82565